Casa Buonarroti

Pina Ragionieri

Casa Buonarroti

Electa

In copertina
Madonna della scala

Traduzioni
Christopher Evans

Fotografie
Antonio Quattrone

Nuova edizione 1999

Sommario

Casa Buonarroti: non soltanto un museo

Via Ghibellina è una storica strada del centro di Firenze, sulla quale si affacciano antiche case, antichi palazzi. Percorrendola nella parte tra via Verdi e i viali ci si imbatte, al numero 70, in un palazzo secentesco il cui nome evoca importanti memorie: la Casa Buonarroti. Dietro la severa facciata vive un'istituzione intenta a svolgere, su un piano cittadino ma anche nazionale e internazionale, il ruolo che le sue tradizioni impongono.
La sua espressione più nota è ovviamente il Museo, contenente in primo luogo alcuni capolavori di Michelangelo, tra cui i due simboli riconosciuti della Casa, i rilievi marmorei *Madonna della scala* e *Battaglia dei centauri*, eseguiti a Firenze dall'artista non più che adolescente: testimonianze intense il primo dello studio appassionato di Donatello, il secondo della passione mai sopita per l'arte classica. Il Museo espone inoltre le ricche collezioni di dipinti, sculture, maioliche, pezzi archeologici, variamente raccolti attraverso le generazioni dalla famiglia Buonarroti. Non sembrerà perciò inutile far percorrere al visitatore del Museo la storia della Casa fin dal suo inizio.
Un documento già noto a Gaetano Milanesi e riproposto nel 1965 da Ugo Procacci nel suo esauriente catalogo della Casa Buonarroti testimonia che il 3 marzo 1508 Michelangelo acquistò, per il prezzo di 1050 fiorini larghi, tre case e una casetta (detta nell'atto *domuncula*) tra la via Ghibellina e la via Santa Maria (poi via dei Marmi sudici e ora via Michelangiolo Buonarroti). Un'altra piccola casa contigua fu acquistata dall'artista nell'aprile del 1514. Di questo complesso di cinque case, tre furono forse subito affittate, e nelle due meno anguste Michelangelo abitò sicuramente dal 1516 al 1525, quando la committenza medicea non lo spingeva a cercar marmi a Carrara o a Pietra-

Giuliano Bugiardini,
Ritratto di Michelangelo.

Via Ghibellina is a historic street in the center of Florence, lined with ancient houses and palaces. Walking along the section comprised between via Verdi and the avenues, we come to number 70, a seventeenth-century-townhouse whose name conjures up powerful memories: Casa Buonarroti. Behind its severe facade is housed an institution intent on fulfilling the role imposed on it by its traditions, not just on the civic plane but also at a national and international level.
Obviously, the best-known aspect of this role is the museum, containing a number of masterpieces by Michelangelo, including the two acknowledged symbols of Casa Buonarroti, the marble reliefs called the Madonna della scala (Madonna of the Stairs) *and the* Battle of the Centaurs, *carved in Florence when the artist was still in his adolescence. The first of these testifies to his keen study of Donatello, the second to his undying passion for classical art. The museum also houses the rich collections of paintings, sculptures, majolica and archeological finds that were built up over various generations by the Buonarroti family. So it seems appropriate that visitors to the museum should be acquainted with the history of Casa Buonarroti from its very beginnings. A document already known to Gaetano Milanesi, and to which Ugo Procacci again drew attention in his exhaustive catalogue of Casa Buonarroti published in 1965, tells us that on March 3, 1508, Michelangelo purchased three large houses and one small one (referred to in the deed as the* domuncula) *between via Ghibellina and via Santa Maria (later via dei Marmi sudici and now via Michelangiolo Buonarroti) for the sum of 1050 florins. Another small adjoining house was bought by the artist in April 1514. Of these five houses, three were rented out at once, while Michelangelo certainly lived in the two most spacious ones from 1516 to 1525,*

santa; ma nel 1525, spinto dal papa Clemente VII, già si trasferiva nel quartiere di San Lorenzo. Era impegnato fin dal 1516 negli interventi per la fabbrica di San Lorenzo: il tormentato progetto della facciata della basilica, come si sa rimasto inattuato, la Sagrestia Nuova e la Biblioteca Laurenziana. A partire dal 1525, le case di via Ghibellina risultano tutte e cinque affittate.

La parte della proprietà che si affacciava sulla via Ghibellina era destinata a sparire nel corso dei lavori di ristrutturazione intrapresi dapprima, intorno al 1590, da Leonardo Buonarroti – figlio del fratello minore di Michelangelo, Buonarroto – e successivamente, circa vent'anni dopo, in modo ben più organico dal figlio di Leonardo, Michelangelo Buonarroti il Giovane. Esiste invece ancor oggi, solo parzialmente recuperata, la terza casetta, la *domuncula*, alla quale si accede oggi da via dell'Agnolo, 67 rosso, dove il passante può soffermarsi e scoprire una stretta apertura con stipiti in pietra serena, chiusa da una piccola saracinesca; di qui, un angusto corridoio lungo dodici metri conduce a una serie di ambienti, uno di seguito all'altro, finora soltanto parzialmente restaurati. Il loro recupero completo sarebbe per la Casa di straordinaria impor-

when he was not dispatched to Carrara or Pietrasanta by his Medici patrons to look for marble. In 1525, however, at the instigation of Pope Clement VII, he moved to the quarter of San Lorenzo. He had been working on the church of San Lorenzo since 1516: the ill-fated design for the facade of the basilica, which was never realized, the New Sacristy and the Biblioteca Laurenziana. From 1525 onward, it appears that all five of the houses on Via Ghibellina were rented out.

The part of the property that faced onto Via Ghibellina was destined to disappear during the work of restructuring first undertaken, around 1590, by Leonardo Buonarroti – the son of Michelangelo's younger brother, Buonarroto – and then continued twenty years later, in far more systematic fashion, by Leonardo's son, Michelangelo Buonarroti the Younger. However, the third, smaller house known as the domuncula *still exists today, though it has only been restored in part. Its entrance can now be found at no. 67, Via dell'Agnolo, where the passerby can see a narrow opening with jambs made of pietra serena and closed by a small shutter. From here a narrow corridor about twelve meters in length leads to a series of rooms, one set after*

La Casa Buonarroti in una incisione del 1862.

tanza storica, giacché si potrebbero così visitare i soli spazi rimasti ancora intatti di quanto Michelangelo acquistò tra il 1508 e il 1514.
Le case, dunque, risultano affittate fin dal 1525. Michelangelo vive altrove; tuttavia, una preoccupazione costante, perfino ossessiva si ricava dal suo carteggio, specialmente dopo il trasferimento definitivo dell'artista a Roma nel 1534: quella di affidare per il tempo a venire il nome della propria famiglia a un edificio in Firenze che corrisponda al concetto da lui stesso racchiuso nella celebre espressione "casa onorevole nella città". L'unico erede maschio della famiglia, il nipote Leonardo (1519-1599), si sottrasse alle continue pressioni dello zio solo sposandosi, nel 1553, con Cassandra Ridolfi, e acconsentendo a una ristrutturazione, limitata soltanto a parte della proprietà. Un risultato apprezzabile non fu ottenuto, vivente Michelangelo; e si dovette giungere al 1590 perché il discontinuo interesse di Leonardo approdasse al palazzetto di famiglia lungamente ambito dal grande zio.
La fase più significativa per il palazzo fu segnata dall'opera di uno dei figli di Leonardo, Michelangelo Buonarroti il Giovane (1568-1647), personaggio di grande spicco nel panorama culturale della Firenze della prima metà del Seicento, e finora studiato più come letterato e uomo di teatro, come autore della *Tancia* e della *Fiera*, che nella sua eccezionale qualità di intraprendente e versatile organizzatore di cultura, amico e generoso ospite di artisti e di scienziati. Sono ancora in gran parte inediti i numerosi volumi del suo carteggio, le carte di amministrazione domestica e altri scritti, custoditi nell'Archivio Buonarroti, che potrebbero restituire, se adeguatamente indagati, un interessante ritratto intellettuale finora soltanto intuito. Del *Carteggio* è a disposizione degli studiosi, nella Biblioteca della Casa Buonarroti, una catalogazione informatica, che raccoglie notizie sui corrispondenti di Michelangelo il Giovane e sui contenuti delle loro lettere.
Michelangelo il Giovane ampliò il fondo immobiliare; e fu per suo impulso che il palazzo assunse la fisionomia, non solo esterna, che tuttora conserva. A lui si deve la realizzazione delle quattro sale monumentali al piano nobile della Casa, celebranti la gloria del grande prozio e la grandezza della famiglia: qui il Seicento fiorentino e toscano offre uno dei suoi cicli più significativi.
Il complesso programma decorativo delle sale, elaborato personalmente da Michelangelo il

the other and so far only partially restored. The completion of this work would be of extraordinary historical significance for the museum, as it would allow people to visit the only parts of the property that Michelangelo bought between 1508 and 1514 which are still intact. Thus the houses were rented out from 1525 onward. Michelangelo lived elsewhere. And yet his papers reveal a constant, almost obsessive preoccupation, especially after the artist's definitive move to Rome in 1534: that of ensuring that a building in Florence would bear the name of his family in the years to come: an idea that he himself summed up in the celebrated phrase "honorable house in the city." The family's sole male heir, his nephew Leonardo (1519-99), was only able to escape the constant pressure from his uncle by marrying Cassandra Ridolfi, in 1553, and agreeing to a renovation, though this was confined to just one part of the property. No appreciable results were obtained in Michelangelo's lifetime and it was not until 1590 that Leonardo's intermittent efforts led to the creation of the small family palace that his uncle had so long desired.
The most significant phase in the construction of Casa Buonarroti was marked by the work of one of Leonardo's sons, Michelangelo Buonarroti the Younger (1568-1647). An outstanding figure in the cultural world of Florence in the first half of the seventeenth century, he has up till now been studied more as a man of letters and the theater, the author of the Tancia *and* Fiera, *than in his exceptional role as an enterprising and versatile organizer of cultural activities, a friend and generous patron of artists and scientists. The numerous volumes of his correspondence, domestic papers and other writings, now housed in the Archivio Buonarroti, are still largely unpublished, but a suitable investigation of them could produce an interesting portrait of an intellectual whose figure still remains somewhat in the shadows. A computerized catalogue of the* Correspondence *is available to scholars in the library of Casa Buonarroti and provides information on the correspondents of Michelangelo the Younger and the contents of their letters.*
Michelangelo the Younger enlarged the ground-floor rooms of the property and it was through his efforts that the building assumed the appearance that it still has today, and not just on the outside. He was responsible for the

Giovan Battista Cartei, *Affresco con pergolato ed uccelli*, particolare.

Giovane, fu portato a termine in circa trent'anni, dal 1612 al 1643, e a noi tramandato da numerose testimonianze. Tra queste, un minuzioso inventario di fine Seicento, la cosiddetta *Descrizione buonarrotiana*, che è stato importante punto di riferimento nel lavoro di ricerca per il riassetto completo del Museo portato a termine da qualche mese e presentato qui per la prima volta.
Le quattro sale, seguite da uno stanzino dove Michelangelo il Giovane amava assiepare numerosi pezzi, antichi e moderni, delle sue collezioni, sono rimaste miracolosamente intatte, caso unico per gli interni del palazzo, attraverso le non poche evenienze e le ristrutturazioni a volte pesanti che la Casa era destinata ad affrontare nel tempo. Per esempio, in un intervento del primo Ottocento andò quasi completamente perduto un altro contributo di Michelangelo il Giovane: una sorta di giardino pensile di delizie, situato nella loggia dell'attico, con tanto di grotta con stucchi, spugne artificiali e giochi d'acqua. Di tutto ciò rimane soltanto un ambiente, adiacente all'altana tuttora esistente, ma di difficile accesso e perciò non compreso nell'itinerario di visita del Museo; il suo soffitto fu affrescato nel 1638 da Giovan Battista Cartei, con un pergolato con uccelli di gradevole effetto decorativo, diligentemente restaurato nel 1964.
Due tra le caratteristiche di fondo di Michelangelo il Giovane – la passione collezionistica e il culto per le memorie familiari – sono alla base della formazione del patrimonio artistico della Casa. Torna a suo merito l'acquisizione di ritratti di famiglia e di antiche sculture; fu lui a voler collocare in posizione preminente nella prima delle sale monumentali la *Battaglia dei centauri;* fu lui a contrattare col sagrestano di Santa Croce l'acquisizione della predella di Gio-

realization of the four monumental rooms on the piano nobile of the house, celebrating the glory of his famous great-uncle and the grandeur of the family: they house one of the most significant cycles of seventeenth-century Florentine and Tuscan painting.
The complex decorative program of the rooms, drawn up personally by Michelangelo the Younger, was completed over the space of about thirty years, from 1612 to 1643, and has been handed down to us by numerous records. Among these, a meticulous inventory dating from the end of the seventeenth century and known as the Descrizione buonarrotiana, *has been an important point of reference in the research work carried out for the complete reorganization of the museum that was brought to a conclusion just a few months ago and is presented here for the first time.*
The four rooms, followed by a smaller one in which Michelangelo the Younger liked to assemble numerous pieces, ancient and modern, from his collections, have remained miraculously intact. In fact they are the only part of the building's interior for which this can be said, given the number of mishaps and at times heavy-handed renovations to which Casa Buonarroti has been subjected over the course of time. For instance, an intervention in the early part of the nineteenth century resulted in the complete loss of another of Michelangelo the Younger's contributions: a sort of hanging garden of delights, located on the loggia of the attic, in the form of grottoes filled with stuccoes, artificial sponges and fountains. All that is left of this is just one room, adjoining the still existing roof terrace, but difficult to reach and therefore not included in the tour of the museum. Its ceiling was frescoed by Giovan Battista Cartei in 1638, with a pergola filled with birds of pleasantly decorative effect, diligently restored in 1964.
Two fundamental aspects of Michelangelo the Younger's character – his passion for collecting and his veneration of the family's past – lie at the root of Casa Buonarroti's artistic heritage. It was he who was responsible for the acquisition of the family portraits and antique sculptures; it was he who decided to place the Battle of the Centaurs *in a prominent position in the first of the monumental rooms; it was he who negotiated with the sacristan of Santa Croce for the purchase of the predella by Giovanni di Francesco with* Scenes from the Life of Saint Nicholas; *it is to*

vanni di Francesco con *Storie di san Nicola*; a lui la Casa Buonarroti deve il recupero della *Madonna della scala* e di non pochi disegni autografi di Michelangelo, ceduti forzatamente nel 1566 da Leonardo alle collezioni medicee. Michelangelo il Giovane morì nel 1647, compianto, come sappiamo dal Baldinucci, "non solo da tutti i virtuosi, ma eziandio da tutta la città, a cui erano ben note le sue rare qualità". Gli succedette, nel governo della Casa, il nipote Leonardo, magnanimo custode di una proprietà della quale riuscì ad assicurare l'integra conservazione attraverso le ferree clausole del suo celebre testamento. Alla sua morte il palazzo passò al figlio Michelangelo, probabile autore della già citata *Descrizione buonarrotiana*.
Dopo di lui – siamo ormai all'inizio del secolo XVIII – diviene proprietario, per la sua grande rinomanza e non per diritto di primogenitura, Filippo Buonarroti (1661-1733), presidente dell'Accademia Etrusca di Cortona, membro della Crusca, erudito e archeologo di valore. Filippo arricchisce le raccolte familiari con numerose opere etrusche e romane; con lui la Casa torna a essere, come ai tempi di Michelangelo il Giovane, meta di visitatori illustri e vive la sua estrema stagione di splendore.
Furono invece anni davvero difficili per il palazzo e per la famiglia quelli a cavallo fra Settecento e Ottocento: nel 1799 il presidio austriaco che governava Firenze decretò la confisca del patrimonio Buonarroti, che fu assegnato all'Ospedale di Santa Maria Nuova. Si giungeva a questo perché l'erede legittimo, il famoso Filippo, illuminista di tendenza democratico-egalitaria, emigrato fin dal 1789 in Francia, era allora in attesa di essere deportato in Guiana per aver partecipato alla congiura degli Eguali di Babeuf.
Nel 1812, divenne finalmente curatore e proprietario del complesso Cosimo Buonarroti (1790-1858), futuro ministro dell'istruzione pubblica nel governo granducale. Il palazzo era allora assai degradato: in una relazione del 10 giugno 1823, redatta da un perito per documentare le migliorie già apportate a opera di Cosimo, si dice che "la Casa Buonarroti in Via Ghibellina nel 1820 era divenuta quasi un abituro della più abbietta classe del popolo". Dopo rilevanti restauri, Cosimo prese dimora nella Casa, sposando, nel 1846, la nobildonna anglo-veneziana Rosina Vendramin (1814-1856), che si dedicò con passione alle memorie familiari. Si devono infatti a lei la trascrizione di numerosi documenti di archivio e il ritrova-

Ritratto di Filippo Buonarroti (1761-1837).

him that Casa Buonarroti owes the recovery of the Madonna della scala *and a considerable number of Michelangelo's drawings, which Leonardo had been forced to cede to the Medicean collections in 1566. Michelangelo the Younger died in 1647, mourned, we are told by Baldinucci, "not only by all the virtuous, but even by the population of the city as a whole, to whom his rare qualities were well-known." The responsibility for Casa Buonarroti was taken over by his nephew Leonardo, the magnanimous custodian of a property whose complete conservation he was able to ensure through the ironclad clauses of his celebrated will. On his death the building passed to his son Michelangelo, the probable author of the aforementioned* Descrizione buonarrotiana.
He was succeeded as proprietor – we have now reached the beginning of the eighteenth century – by Filippo Buonarroti (1661-1733), though as a consequence of his great renown rather than right of primogeniture: he was president of the Accademia Etrusca of Cortona, a member of the Crusca and a leading scholar and archeologist. Filippo enriched the family collections with numerous Etruscan and Roman works. Under his tutelage, Casa Buonarroti once again became a magnet for illustrious visitors, as it had been in the time of Michelangelo the Younger, and went through its last period of splendor.
The years spanning the turn of the eighteenth and nineteenth centuries, however, were truly difficult ones for both the building and the family: in 1799 the Austrian garrison in charge of Florence ordered the confiscation of the Buonarroti estate, which was handed over to the hospital of Santa Maria Nuova. This came about because the legitimate heir, the fa-

mento di un bozzetto in cera ritenuto opera di Michelangelo.
Quando Cosimo morì, nel 1858, senza lasciare eredi diretti, la consegna alla città di Firenze del palazzo di via Ghibellina avvenne non senza contrasti da parte degli eredi indiretti. Si giunse tuttavia alla costituzione della Casa Buonarroti in ente morale, decretata un anno dopo dal granduca Leopoldo II.
Le prime gestioni dell'Ente ebbero la loro manifestazione più vistosa nelle celebrazioni che si svolsero a Firenze nel 1875, nell'occasione del quarto centenario della nascita di Michelangelo. La Casa Buonarroti conserva tuttora, a proposito di questo avvenimento e in generale sul mito di Michelangelo nell'Ottocento, significative testimonianze, da qualche anno raccolte ed esposte in due sale del Museo. Il centenario del 1875 ebbe per la città notevoli conseguenze culturali e di costume: dalla sistemazione del piazzale Michelangelo alla progettazione della Tribuna per il *David* all'Accademia; dall'edizione, a cura di Gaetano Milanesi, dell'epistolario michelangiolesco a una mostra di disegni di Michelangelo in Casa Buonarroti: progetto, quest'ultimo, felicemente attuato, fra altri che invece l'Ente non riuscì a portare a compimento per il sopraggiungere di difficoltà finanziarie. Si era pensato perfino di impreziosire la facciata del palazzo con una decorazione a graffito, della quale esiste ancora il progetto, firmato da alcuni tra gli architetti più noti del tempo; ma i problemi economici divennero così pressanti che molte zone del palazzo dovettero essere affittate come abitazioni private.
All'inizio del nostro secolo, la Casa ospitò il Museo storico-topografico fiorentino; dopo la prima guerra mondiale tornò a essere frazionata e in parte affittata.
Risalgono al 1951 i primi restauri moderni, eseguiti per onorare Giovanni Poggi (1880-1961), l'insigne michelangiolista che assicurò in deposito alla Casa Buonarroti non poche opere provenienti dalle gallerie fiorentine, tra cui due *Noli me tangere*, uno dei quali pregevole opera pontormesca eseguita su di un cartone perduto di Michelangelo. Le due tavole si vedono ora affiancate in una stessa sala.
Proprio in quegli anni cominciava a risultare inattuale l'allestimento interno del Museo, con alcune sale piene di oggetti disposti senza gerarchie qualitative o comunque di contenuto: i capolavori di Michelangelo insieme alle memorie familiari, pezzi delle collezioni buonarrotia-

mous Filippo, a follower of the Enlightenment and supporter of democracy and egalitarianism, who had emigrated to France in 1789, was then awaiting deportation to Guiana for having taken part in Babeuf's Conspiracy of Equals. Finally, in 1812, Cosimo Buonarroti (1790-1858), future minister of public education in the grand-ducal government, became curator and owner of the complex.
By that time the building was in a state of serious decay: a report dated June 10, 1823, drawn up by a surveyor to record the improvements already carried out by Cosimo, states that "in 1820 the Casa Buonarroti on Via Ghibellina had almost become a tenement for the lowest class of people." After major restorations, Cosimo took up residence in the house and in 1846 married the Anglo-Venetian noblewoman Rosina Vendramin (1814-56), who devoted herself enthusiastically to the family's relics. In fact we have her to thank for the transcription of numerous documents in the archives and the discovery of a wax model believed to be the work of Michelangelo.
When Cosimo died in 1858, leaving no direct heirs, the ownership of the building on Via Ghibellina was transferred to the city of Florence, though not without opposition from the indirect heirs. Nevertheless, one year later the Casa Buonarroti was transformed into a body corporate by decree of Grand Duke Leopold II.
The most conspicuous achievement of the new management of the institution came in 1875, with the celebrations that were staged in Florence for the fourth centenary of the birth of Michelangelo. Casa Buonarroti still preserves some significant testimonies to this event and, more generally, to the myth that grew up around Michelangelo in the nineteenth century, and for some years now these have been placed on show in two of the museum's rooms. The centenary in 1875 had a considerable cultural impact on the city: from the layout of Piazzale Michelangelo to the design of the Tribuna to house the David *at the Accademia; from the publication of Michelangelo's letters, edited by Gaetano Milanesi, to an exhibition of Michelangelo's drawings in Casa Buonarroti. This last project was brought to a successful conclusion, whereas the institution was unable to carry out a number of others owing to a lack of funds. There had even been a plan to embellish the*

ne affiancati a cimeli ottocenteschi. Si faceva perciò strada l'esigenza di nuove soluzioni espositive, che furono variamente tentate e che oggi possono sembrare legate a visioni per così dire idealistiche dei fatti dell'arte. Nell'occasione del quarto centenario della morte di Michelangelo, nel 1964, la Casa intera veniva sottoposta a un radicale restauro, dopo che meritoriamente si era riusciti a liberare completamente i locali ancora affittati a privati.
All'indomani del centenario veniva costituito con legge dello Stato l'Ente Casa Buonarroti e veniva posto alla sua direzione Charles de Tolnay, studioso ungherese trasferitosi a Princeton e di là chiamato a Firenze, quando già aveva prodotto la sua monumentale monografia michelangiolesca. Tolnay si rendeva ben conto del premere delle plurisecolari memorie familiari. Nella sistemazione del Museo da lui portata a termine verso la fine degli anni sessanta, si annovera, per esempio, il recupero dal Museo archeologico fiorentino di parte delle collezioni riferibili a Filippo Buonarroti. E tuttavia, nel quindicennio della sua gestione, col generico assenso della cultura fiorentina, la Casa Buonar-

building's facade with a graffito decoration, and the design for this, drawn up by some of the best-known architects of the day, still exists, but the economic problems became so pressing that many parts of the building had to be rented out as private dwellings.
At the beginning of the twentieth century, Casa Buonarroti housed the historical and topographical museum of Florence, but after the First World War it was again divided up and rented out in part.
The first modern restorations date from 1951, when they were carried out in honor of Giovanni Poggi (1880-1961), the eminent Michelangelo scholar who was able to negotiate the loan to Casa Buonarroti of a number of works from Florentine galleries, including two versions of the Noli me tangere, *one of them a fine painting by Pontormo based on a lost cartoon by Michelangelo. The two pictures now hang side by side in the same room.*
It was in these years that the internal layout of the museum began to seem dated, with several rooms filled with objects arranged without any regard for quality or content: master-

Aristodemo Costoli, *Ritratto di Cosimo Buonarroti.*

Aristodemo Costoli, *Ritratto di Rosina Vendramin Buonarroti.*

Amos Cassioli, Federigo Andreotti, Niccolò Barabino, Cosimo Conti, Corinto Corinti, Giacomo Roster, *Progetto per la decorazione a graffito della facciata della Casa Buonarroti*, ante 1875.

roti continuò e rafforzò l'aspirazione ottocentesca a configurarsi come il "Museo di Michelangelo": si spedivano a Caprese i calchi di opere michelangiolesche presenti nel Museo fin dai tempi del centenario del 1875, ma insieme si operava un concentramento sulla figura dell'artista per mezzo di acquisizioni e di nuove attribuzioni. Una delle conseguenze delle iniziative del 1964 era stato l'ingresso in Casa Buonarroti del *Crocifisso* di Santo Spirito, attribuito a Michelangelo da Margrit Lisner due anni prima e ritenuto oggi autografo da gran parte della critica; giungeva inoltre, dall'Accademia del Disegno, l'unico modello michelangiolesco di grandi dimensioni, il *Dio fluviale*, emozionante opera che oggi si può vedere nel Museo confrontata con il modello ligneo della facciata di San Lorenzo. Ma si registravano anche altri arrivi: dalla Palazzina della Meridiana di Palazzo Pitti giungeva, con l'attribuzione a Michelangelo, la *Venere con due amorini* oggi assegnata assai più credibilmente a Vincenzo Danti; e, dal cortile di Palazzo Pitti, una gigantesca statua cinquecentesca, probabilmente da giardino, nella quale si volle riconoscere il "quinto schiavo" per la tomba di Giulio II.

Da anni ormai è stata abbandonata in Casa Buonarroti questa prospettiva univoca e non realistica, e la Casa ha consapevolmente scelto la via ben più percorribile di individuarsi come Museo della famiglia Buonarroti. In tale direzione procede l'attività complessiva dell'Ente, in questa Casa che non è soltanto un museo, ma anche un luogo di studio e di ricerca, con una importante biblioteca aperta alla consultazione degli studiosi e specializzata in biblio-

pieces by Michelangelo were displayed alongside family heirlooms and pieces from the Buonarroti collections next to nineteenth-century curios. Thus the need for a new approach to the arrangement of the museum became apparent and various solutions were tried out, most of which now appear linked to what might be called an idealistic vision of art. On the occasion of the fourth centenary of Michelangelo's death, in 1964, the whole of Casa Buonarroti was subjected to radical restoration, and after this it at last proved possible to free the rooms still rented out to private individuals of their tenants. After the centenary, the Ente Casa Buonarroti was set up by law and Charles de Tolnay placed at its head: a Hungarian scholar who had moved to Princeton, he was persuaded to come to Florence after he had already written his monumental monograph on Michelangelo. Tolnay was well aware of the importance of the centuries of family history. The reorganization of the museum that he carried out toward the end of the sixties included, for example, the return of part of the collections that used to belong to Filippo Buonarroti from the archeological museum of Florence. And yet, over the fifteen years of his directorship, and with the general assent of Florentine culture, the Casa Buonarroti continued with and strengthened its nineteenth-century aspiration to become the "Museum of Michelangelo": the casts of Michelangelo's works that had been in the museum ever since the centenary in 1875 were sent to Caprese, but at the same time there was an increasing concentration on the figure of the artist by means of acquisitions and new attributions. One of the consequences of the initiatives undertaken in 1964 had been the entry into Casa Buonarroti of the Crucifix *from the hospital of Santo Spi-rito, attributed to Michelangelo by Margrit Lisner two years earlier and now considered his work by the majority of critics. Another acquisition, from the Accademia delle Arti del Disegno, had been the only surviving large-scale model for one of Michelangelo's sculptures, the* River God, *an enthralling work that is now on display in the museum together with the wooden model of the facade of San Lorenzo. Nor were these the only additions: from the Palazzina della Meridiana in Palazzo Pitti came the* Venus with Two Cupids, *attributed at the time to Michelangelo but now more credibly assigned to Vincenzo Danti;*

grafia michelangiolesca e storia dell'arte dei secoli XVI e XVII. Si opera insomma in una struttura che medita sulla propria storia e veglia sulla conservazione del suo patrimonio artistico. Un esempio del tipo di lavoro che oggi si vuole fare in Casa Buonarroti è l'importante ritorno, avvenuto nel 1995, dell'Archivio Buonarroti, di proprietà della Casa, ma per circa novant'anni rimasto in deposito presso la Biblioteca Medicea Laurenziana. Si tratta di 169 volumi, che partono dagli antenati di Michelangelo per giungere alla prima metà dell'Ottocento, e che contengono il fondo più cospicuo al mondo di carte autografe dell'artista. In armonia con quanto finora detto, quel momento importante di promozione della conoscenza del patrimonio artistico, storico e di memorie della Casa che è costituito dalle mostre, organizzate a scadenza annuale, non si riferisce soltanto all'ombra più grande di Michelangelo, ma parte dall'interno della storia ricca e articolata qui tracciata a grandi linee.

La Casa Buonarroti agli inizi del XX secolo.

and, from the courtyard of Palazzo Pitti, a gigantic sixteenth-century statue, probably originally located in a garden, that was claimed to be the "fifth prisoner" for the tomb of Julius II.
It is years now since this limited and unrealistic perspective has been abandoned at Casa Buonarroti and the institution has happily chosen the far more practicable road of presenting itself as a museum of the Buonarroti family. This is the direction taken by the activity of the Ente Casa Buonarroti as a whole, in this institution which is not just a museum but also a place of study and research, with an important library open to consultation by scholars and specializing in the literature on Michelangelo and the history of art in the sixteenth and seventeenth centuries. In short, it operates within a framework that is concerned with the investigation of its own history and the conservation of its own artistic heritage. An example of the type of work that the Casa Buonarroti wishes to carry out today was provided by the return, in 1995, of the Archivio Buonarroti, the property of the institution but on deposit at the Biblioteca Laurenziana for the last ninety years. This consists of 169 volumes, commencing with Michelangelo's ancestors and extending right up to the first half of the nineteenth century, which contain the largest collection of manuscripts in the artist's own hand in the world.
In line with the foregoing, that important opportunity for promotion of an understanding of the artistic and historical heritage of the Casa Buonarroti represented by the exhibitions that are staged on an annual basis does not refer solely to the great shadow cast by the figure of Michelangelo, but starts out from the rich and varied history that has been outlined here.

Sala Archeologica

Tra le collezioni della Casa Buonarroti una raccolta di grande valore, ma tuttora assai meno nota delle altre per le complesse vicende che ha attraversato, è la collezione archeologica. Il nucleo consta di circa centocinquanta pezzi, di civiltà, epoche, tipologie, tecniche e dimensioni assai diverse.
Il merito di aver riunito pezzi così vari e importanti va soprattutto a due esponenti della famiglia Buonarroti che abitarono il palazzo, Michelangelo il Giovane e Filippo. A quest'ultimo si deve l'accrescimento più cospicuo della raccolta, soprattutto per quanto riguarda il settore etrusco. La collezione, dopo essere rimasta a lungo nelle sale della Casa, nel 1882 fu trasferita in deposito presso il neonato Museo Archeologico di Firenze.
Nel 1965, per intervento del direttore della Casa Buonarroti Charles de Tolnay, qualche prezioso pezzo tornò nel Museo di via Ghibellina. Ma solo nel 1996 è stato possibile riportare in Casa Buonarroti i molti pezzi, spesso belli e rari, ancora in deposito nel Museo Archeologico.

Among the collections of the Casa Buonarroti there is one of great value, but which is still much less well-known than the others owing to its complex history: the archeological collection. It is made up of around a hundred and fifty pieces, of very different origins, ages, types, techniques and dimensions.
The credit for having assembled such a varied and important collection must go chiefly to two members of the Buonarroti family who used to live in the house, Michelangelo the Younger and Filippo. The latter was responsible for the most conspicuous enlargement of the collection, especially where the Etruscan section is concerned. After being housed in the rooms of Casa Buonarroti for a long time, it was transferred on deposit to the newly-formed Museo Archeologico of Florence in 1882.
In 1965, at the behest of the director of Casa Buonarroti, Charles de Tolnay, a few of the more precious pieces were returned to the museum on Via Ghibellina. But the many often rare and beautiful pieces that remained on deposit at the Museo Archeologico were not brought back to Casa Buonarroti until 1996.

Stele funeraria
metà del VI secolo a.C.
arenaria grigia, altezza 138 cm, larghezza 41,5 cm, spessore 9 cm (in alto) e 19 cm (alla base)
inv. 54

Lo stesso Filippo Buonarroti ricorda nel 1726 che questo importante reperto etrusco, rinvenuto nei dintorni di Fiesole, era stato murato dai suoi "antenati" sulle pareti del cortile della Casa Buonarroti, dove rimase fino al 1882, per passare poi al Museo Archeologico di Firenze, da cui fece ritorno solo nel 1965.
Di forma rettangolare, con l'estremità superiore arrotondata, la stele contiene la raffigurazione del defunto, un giovane guerriero in piedi, dalla lunga chioma, armato di una lancia e di una piccola ascia. Lungo il margine destro è inciso il suo nome: Larth Ninie. I segni dietro la nuca sono accidentali e non devono interpretarsi come iscrizioni. È molto probabile che si tratti del monumento funerario di un capo aristocratico, rappresentato con le insegne del suo rango.
La tipologia del monumento appare ispirata a modelli di ambito siro-fenicio e anatolico, noti in Etruria grazie alla mediazione di maestranze della Ionia microasiatica. D'altra parte an-

Funerary stele
mid sixth century bC
gray sandstone, height 138 cm,
width 41.5 cm, thickness 9 cm (at the top) and 19 cm (at the bottom)
inv. 54

In 1726 Filippo Buonarroti himself noted that this important Etruscan find, made in the vicinity of Fiesole, had been set in the wall of the courtyard of Casa Buonarroti by his "ancestors." It remained there until 1882, when it was moved to the Museo Archeologico of Florence, returning only in 1965.
Rectangular in shape, with a rounded top, the stele bears a representation of the deceased, a young warrior with long hair, standing up and armed with a spear and a small ax. His name is carved along the right-hand edge: Larth Ninie. The marks at the back of his neck are accidental and should not be interpreted as inscriptions. It is very likely the sepulchral monument of an aristocratic leader, represented with the symbols of his rank.
The monument appears to be based on models of Syro-Phoenician and Anatolian origin,

che lo stile mostra riflessi ionici, ravvisabili sia nelle forme del rilievo, sia nella resa di alcuni particolari. La datazione proposta trova conferma nei caratteri epigrafici dell'iscrizione, propri dell'Etruria settentrionale tirrenica negli anni attorno al 550 a.C.

Bibliografia: Filippo Buonarroti, *Ad Monumenta Etrusca Operi Dempsteriano addita Explicationes et Conjecturae*, in Thomas Dempster, *De Etruria Regali*, II, Firenze 1726, pp. 48 e 95; Stefano Bruni, in *Casa Buonarroti. La collezione archeologica*, a cura di Stefano Corsi, Milano 1997, pp. 38-40, n. 19.

Urna cineraria etrusca
metà del II secolo a.C.
terracotta, 40 × 62 × 31 cm (coperchio)
39 × 58 × 27 cm
inv. 11

L'urna fu rinvenuta nel 1721 nei dintorni di Poggio al Moro, località nei pressi di Chiusi, in un terreno di proprietà di Aurelia Sozzi Bottarelli. Il reperto passò nella collezione di Filippo Buonarroti per dono del senatore Pietro Filippo Uguccioni. Dal 1882 al 1968 rimase in deposito presso il Museo Archeologico di Firenze.
Sul coperchio è rappresentata una figura maschile recumbente, vestita di tunica, con una ghirlanda al collo, un diadema in testa, una patera nella mano destra, un'armilla e un anello alla mano sinistra. Sulla cassa è raffigurata una scena di combattimento, di incerto significato. La vistosa policromia dell'opera è probabilmente autentica. Sulla cornice è dipinta un'iscrizione con il nome completo del defunto (prenome gentilizio, patronimico e metronimico).
Il coperchio è lavorato a stecca, la cassa è invece realizzata a stampo. L'urna risulta collocabile intorno alla metà del II secolo a.C. e testimonia la precocità con la quale le botteghe chiusine nazionalizzarono il processo di produzione di questi oggetti, abbandonando l'uso del travertino e introducendo ben presto l'impiego dello stampo, che gradualmente diverrà mezzo esclusivo di lavorazione, con conseguenti scadimenti qualitativi.

Bibliografia: Stefano Corsi, in *Casa Buonarroti. La collezione archeologica*, a cura di Stefano Corsi, Milano 1997, pp. 46-47, n. 22.

brought to Etruria by craftsmen from Ionia in Asia Minor. Moreover, the style reveals Ionian influences, discernible in both the forms of the relief and in the rendering of certain details. The proposed dating is supported by the epigraphic characters of the inscription, typical of the northern Tyrrhenian region of Etruria in the years around 550 bC.

Bibliography: *Filippo Buonarroti,* Ad Monumenta Etrusca Operi Dempsteriano addita Explicationes et Conjecturae, *in Thomas Dempster,* De Etruria Regali, *II, Florence 1726, pp. 48 and 95; Stefano Bruni, in* Casa Buonarroti. La collezione archeologica, *edited by Stefano Corsi, Milan 1997, pp. 38-40, no. 19*

Etruscan cinerary urn
mid second century bC
terracotta, 40 × 62 × 31 cm (lid)
39 × 58 × 27 cm
inv. 11

The urn was found 1721 in the vicinity of Poggio al Moro, a locality near Chiusi, on land owned by Aurelia Sozzi Bottarelli. The find entered the collection of Filippo Buonarroti as a gift from Senator Pietro Filippo Uguccioni. From 1882 to 1968 it was on deposit at the Museo Archeologico of Florence.
On the lid is represented a recumbent male figure, dressed in a tunic and with a garland around his neck, a diadem on his head, a patera in his right hand and a soldier's bracelet, or armilla, and ring on his left hand. A scene of combat, of uncertain significance, is depicted on the case. The bright polychromy of the work is probably authentic. An inscription giving the full name of the deceased (family praenomen, patronymic and metronymic) is painted on the molding. The cover is modeled with a spatula, whereas the case is stamped. The urn can be dated to around the middle of the second century bC and testifies to the rapidity with which the craft workshops of Clusium nationalized the production of these objects, abandoning the use of travertine and soon introducing the use of molds, which gradually became the exclusive means of working, with a consequent decline in quality.

Bibliography: *Stefano Corsi, in* Casa Buonarroti. La collezione archeologica, *edited by Stefano Corsi, Milan 1997, pp. 46-47, no. 22.*

Derivazioni da Michelangelo

La sala testimonia nel suo complesso la fortuna che ebbero le invenzioni grafiche, pittoriche e scultoree di Michelangelo nel corso del XVI secolo.
Le opere qui esposte provengono quasi tutte dalle collezioni statali fiorentine e sono giunte in Casa Buonarroti in più occasioni, soprattutto per merito di Giovanni Poggi (1880-1961), michelangiolista e per lunghi anni Soprintendente alle Gallerie fiorentine.

The contents of this room testify to the popularity of Michelangelo's graphic, pictorial and sculptural ideas over the course of the sixteenth century.
Almost all the works on show here come from the Florentine state collections and entered Casa Buonarroti at different times, largely through the efforts of Giovanni Poggi (1880-1961), an expert on Michelangelo and for many years the Superintendent of the Florentine Galleries.

Ambiente di Giulio Clovio
(Grizane 1498 - Roma 1578)
Giudizio finale (da Michelangelo)
1570 circa
tempera su pergamena, 32 × 23 cm
inv. Gallerie 1890, n. 810

Questa miniatura è giunta in Casa Buonarroti negli anni trenta del nostro secolo. La sua antica provenienza dalle collezioni medicee è stata recentemente confermata da Silvia Meloni Trkulja, che ne ha riscontrato la presenza tra i preziosi oggetti della collezione di famiglia portati in dote da Vittoria della Rovere a Ferdinando II dei Medici nell'occasione del loro matrimonio (1634). La pergamena divenne dunque proprietà medicea insieme a illustri acquisizioni, come la *Venere d'Urbino* di Tiziano o il duplice ritratto dei Duchi d'Urbino eseguito da Piero della Francesca.
Il *Giudizio* della Sistina, come sottolinea Giovanni Agosti, "pareva, agli occhi del Vasari, superare per 'finitezza' qualsiasi miniatura: e non era questa una lode da poco, tra le tante rivolte al capolavoro michelangiolesco, visto che veniva emessa mentre le opere di Giulio Clovio furoreggiavano per l'Europa preziose e privatissime, e la miniatura godeva un'estrema, fastosissima, fine di stagione. Una miniatura col *Giudizio* rischiava di diventare così una prova di virtuosismo inusitato: ridurre su un piccolo riquadro di pergamena quasi duecentocinquanta metri quadrati d'affresco con trecentonovantun figure". Eppure nessuna di loro manca all'appello nella nostra miniatura: si vedono, infatti, tutti i nudi dell'originale, compreso il gruppo che più creò scandalo, san Biagio con le spazzole in mano che guata santa Caterina sulla ruota (all'estrema destra, in centro): gruppo che fu non solo "imbraghettato", ma addirittura rifatto da Daniele da Volterra nel 1565.
La miniatura è quasi uguale all'incisione che

Circle of Giulio Clovio
(Grizane 1498 - Rome 1578)
Last Judgment *(after Michelangelo)*
circa 1570
tempera on parchment, 32 × 23 cm
inv. Gallerie 1890, n. 810

This illumination entered Casa Buonarroti in the 1930s. The fact that it was once part of the Medicean collections has recently been confirmed by Silvia Meloni Trkulja, who has shown that it was one of the precious objects from her family collection that Vittoria della Rover brought as a dowry to Ferdinando II dei Medici on the occasion of their marriage. Thus the parchment became the property of the Medici family along with several other illustrious acquisitions, including Titian's Venus of Urbino *and the double portrait of the Duke and Duchess of Urbino painted by Piero della Francesca.*
The Judgment *in the Sistine Chapel, as Giovanni Agosti has pointed out, "appeared, to Vasari's eyes, to have a 'finish unrivaled by any miniature.' And this was no small praise, among the many that were heaped on Michelangelo's masterpiece, given that it was made at a time when the precious and extremely intimate works of Giulio Clovio were all the rage in Europe, and the illumination was experiencing its last period of glory. Thus a miniature depicting the* Judgment *ran the risk of turning into a display of uncommon virtuosity: that of reducing almost two hundred and fifty square meters of fresco with three hundred and ninety-one figures to a small square of parchment." And yet none of them are missing from the miniature: all the original nudes can be seen, including the group that created the most scandal, St. Blaise with the brushes in his hand eyeing St. Catherine on the wheel (on the far right, in the*

trasse per via indiretta dal *Giudizio*, nel 1569, il dalmata Martino Rota. Le varianti sono tuttavia significative; e più che varianti, sembrano correzioni, e non da nulla, se si ricorda in qual misura, al suo apparire, quest'opera di Michelangelo fu sottoposta, in ogni suo dettaglio, a disamine iconografiche formali, e teologiche. Per esempio, viene restituita a Cristo la barba, la cui assenza nell'affresco era stata molto criticata (si noti che il Cristo è barbato anche nella grande tavola di Alessandro Allori esposta nella stessa sala della Casa Buonarroti e raffigurante una copia del gruppo centrale del *Giudizio*). In cima alla miniatura, là dove nella stampa del Rota compariva un ritratto di Michelangelo, sono inseriti, in ossequio alle prescrizioni controriformistiche, Dio e lo Spirito Santo.
Le caratteristiche stilistiche dell'opera puntano in direzione di Giulio Clovio, il più importante miniaturista del Cinquecento. Pare di riconoscere, per quanto un po' indebolita da un'esecuzione di bottega, quella "maniera di lavorare a puntini, che io chiamo atomi, che come un velo finemente tessuto sembra una nuvola gettata sulla pittura", come Francisco de Hollanda ben caratterizzava lo stile del Clovio.

Bibliografia: Giovanni Agosti, *Un Giudizio universale in miniatura*, in "Annali della Scuola Normale Superiore di Pisa", S. III, XIX, 4, 1989, pp. 1291-1297.

middle): a group that was not just provided with "breeches" but actually repainted by Daniele da Volterra in 1565.
The illumination is almost identical to the engraving of the Judgment *that was made by the Dalmatian Martino Rota in 1569, though not directly from the original. Yet the variations are significant. And rather than variations, they seem to be corrections, and not gratuitous ones, if we recall the extent to which, on its appearance, every detail of this work of Michelangelo's was subjected to iconographic scrutiny, from both the formal and theological perspective. Christ for instance, has been given back his beard, whose absence in the fresco drew much criticism (note that Christ is also bearded in the large picture by Alessandro Allori hanging in the same room of the Casa Buonarroti and reproducing the central group of the Judgment). At the top of the illumination, where a portrait of Michelangelo appeared in Rota's print, are set God and the Holy Spirit, in deference to the prescriptions of the Counter Reformation.*
The stylistic features of the work point in the direction of Giulio Clovio, the most important illuminator of the sixteenth century. It seems possible to recognize, though somewhat attenuated by its execution by the workshop, the "manner of working in dots, which I call atoms, that like a finely-woven veil resemble a cloud laid over the painting," as Francisco de Hollanda so clearly characterized Clovio's style.

Bibliography: *Giovanni Agosti,* Un Giudizio universale in miniatura, *in "Annali della Scuola Normale Superiore di Pisa", S. III, XIX, 4, 1989, pp. 1291-1297.*

Collezioni buonarrotiane

I discendenti diretti di Michelangelo, che abitarono per secoli questo palazzo, raccolsero opere d'arte di epoche e di generi diversi. Gli incrementi principali delle collezioni sono riferibili a Michelangelo Buonarroti il Giovane (1568-1647). Sono presenti in questa sala i pezzi non spostabili per motivi di conservazione (la pregevole raccolta di robbiane) e quelli di cui non si conosce l'esatta posizione secentesca (dipinti e vasellame).

The direct descendants of Michelangelo, who lived in the building for centuries, collected works of art of different genres and from different periods. The main additions to the collections can be ascribed to Michelangelo Buonarroti the Younger (1568-1647). This room houses those pieces that cannot be moved for reasons of conservation (the fine collection of della Robbias) and the ones whose exact location in the seventeenth century is not known (paintings and china).

Artista veneto della prima metà del XVI secolo
Scena amorosa (da Tiziano)
tela, 74,5 × 66,5 cm
inv. 69

Il dipinto fu lasciato per testamento alla "Galleria Buonarroti" da Rosina Vendramin, moglie dell'ultimo discendente diretto della famiglia, Cosimo. Non si conosce il soggetto di questa scena amorosa, che in passato è stata interpretata soprattutto come una morte di Lucrezia, ma anche come una raffigurazione di Pompeo che sorregge Cornelia svenuta. Questa lettura virtuosa contrasta però con il dettaglio della mano dell'uomo che s'introduce sotto il seno della donna.
Sono note numerose repliche di questa composizione, in collezioni pubbliche e private: tra esse quella della Casa Buonarroti è la più celebre, insieme a quella conservata nelle raccolte reali inglesi.
Si è a lungo discusso sull'identità dell'autore di questa fortunata invenzione: sono stati fatti i nomi di Giorgione, Sebastiano del Piombo, Pordenone, Romanino, Paris Bordon, Cariani, ma il più probabile sembra ancora Tiziano, a cui Rosina Vendramin per tradizione familiare riferiva anche l'opera di sua proprietà. Per motivi stilistici l'originale della composizione tizianesca è stato datato intorno al 1512.
Nel 1980 Mauro Lucco ha attribuito a Paris Bordon l'esemplare della Casa Buonarroti.

Bibliografia: Mauro Lucco, *L'opera completa di Sebastiano del Piombo*, Milano 1980, p. 130, n. 162; John Shearman, *The Early Italian Pictures in the Collection of Her Majesty the Queen*, Cambridge 1983, pp. 69-72; Giorgio Fossaluzza, *Qualche recupero al catalogo ritrattistico del Bordon*, in *Paris Bordon e il suo tempo*, Treviso 1987, p. 187; Filippo Pedrocco, in *Le cortigiane di Venezia*, catalogo

Venetian artist of the first half of the sixteenth century
Amorous Scene *(after Titian)*
canvas, 74.5 × 66.5 cm
inv. 69

The painting was bequeathed to the "Galleria Buonarroti" by Rosina Vendramin, the wife of the family's last direct descendant, Cosimo. The subject of this amorous scene is not known. In the past it has usually been interpreted as a death of Lucretia, but also as a representation of Pompey supporting a swooning Cornelia. However, this virtuous interpretation clashes with the detail of the man sliding his hand under the woman's breast.
Numerous replicas of this composition are known, in public and private collections: the one in Casa Buonarroti is the most famous, along with the one in the English royal collections.
There has been long debate over the inventor of this popular scene: the names of Giorgione, Sebastiano del Piombo, Pordenone, Romanino, Paris Bordon, and Cariani have all been put forward, but the most likely candidate still seems to be Titian, to whom by family tradition Rosina Vendramin attributed the work in her possession. For stylistic reasons, the original of the Titianesque composition has been dated to around 1512.
In 1980 Mauro Lucco attributed the example in Casa Buonarroti to Paris Bordon.

Bibliography: *Mauro Lucco,* L'opera completa di Sebastiano del Piombo, *Milan 1980, p. 130, no. 162; John Shearman,* The Early Italian Pictures in the Collection of Her Majesty the Queen, *Cambridge 1983, pp. 69-72; Giorgio Fossaluzza,* Qualche recupero al catalogo ritrattistico del Bordon, *in* Paris Bordon e il suo

della mostra, Milano 1990, pp. 107-108, n. 2; Alessandro Ballarin, *Venezia 1511-1518: Tiziano dagli affreschi della Scuola del Santo all'Assunta*, Padova 1991, pp. 37-38.

Fra Mattia della Robbia
(Firenze 1468 - post 1532)
Dovizia
1520 circa
terracotta invetriata, altezza 78 cm
inv. 73

In Casa Buonarroti è presente fin dal Seicento un gruppo di terrecotte invetriate, che erano inserite nella decorazione voluta da Michelangelo Buonarroti il Giovane. L'inconsueta predilezione per questi manufatti in un'epoca poco incline al gusto per i "primitivi" può essere messa in parallelo con l'acquisizione da parte di Michelangelo il Giovane della predella di Giovanni di Francesco e con la presenza nella sua collezione di un disegno attribuito a Giotto, da tempo disperso.
Questa figuretta era collocata nel Seicento, quando era creduta una "Primavera", nello stanzino in fondo alla fuga delle sale monumentali del piano nobile del palazzo, tra altre robbiane e pezzi di scultura antica e pseudoantica, disposti contro una finta architettura aperta su un paesaggio dipinto, oggi quasi completamente svanito. È un'opera della tarda attività di Marco della Robbia, figlio di Andrea e frate domenicano con il nome di Fra Mattia. La figura, dai caratteri beneaugurali,

tempo, Treviso 1987, p. 187; Filippo Pedrocco, in Le cortigiane di Venezia, *exhibition catalogue, Milan 1990, pp. 107-108, no. 2; Alessandro Ballarin,* Venezia 1511-1518: Tiziano dagli affreschi della Scuola del Santo all'Assunta, *Padua 1991, pp. 37-38.*

Fra Mattia della Robbia
(Florence 1468 - post 1532)
Abundance
circa 1520
glazed terracotta, height 78 cm
inv. 73

Casa Buonarroti has housed a group of glazed terracottas ever since the seventeenth century, when they were inserted in the decoration carried out for Michelangelo Buonarroti the Younger. His unusual predilection for these works in an age that showed so little sympathy for the "primitives" should be seen in relation to Michelangelo the Younger's acquisition of the predella by Giovanni di Francesco and to the presence in his collection of a drawing attributed to Giotto, lost some time ago.
In the seventeenth century, when it was believed to be a representation of Spring, this figurine was located in the little room at the end of the suite of monumental rooms on the piano nobile of the palace, among other della Robbias and pieces of antique and pseudo-antique sculpture, set against the backdrop of a mock architectural structure opening onto a painted landscape, which has now completely vanished. It is a work from the latter part of the career of Marco della Robbia, Andrea's son and a Dominican monk with the name of Fra Mattia. The figure, auspicious in character, is based on a model – of which various replicas are known – that Giovanni della Robbia had invented for the family workshop. He had taken his inspiration for this figure from Donatello's lost statue of Abundance *that used to stand on the column in the Old Market at Florence.*
The statuette is set on a base of glazed terracotta, decorated with plant motifs in the della Robbian style.

Bibliography: *Giancarlo Gentilini,* I della Robbia. La scultura invetriata nel Rinascimento, *II, Florence 1992, pp. 325, 328, 375-376, 378.*

ripropone un modello – di cui sono note diverse repliche – che nella bottega robbiana era stato inventato da Giovanni della Robbia. Egli aveva tratto ispirazione per questa figura dalla perduta statua della *Dovizia* di Donatello che si trovava sulla colonna del Mercato Vecchio a Firenze.
La statuetta è collocata su una base in terracotta invetriata, decorata con motivi vegetali, di genere robbiano.

Bibliografia: Giancarlo Gentilini, *I della Robbia. La scultura invetriata nel Rinascimento*, II, Firenze 1992, pp. 325, 328, 375-376, 378.

Iconografia michelangiolesca

Sono esposti in questa sala alcuni ritratti di Michelangelo, in deposito dalle Gallerie fiorentine, che, per quanto eseguiti in varie epoche, dal Cinquecento all'Ottocento, derivano tutti dal prototipo del famoso ritratto dell'artista dipinto a Roma, intorno al 1535, dal fiorentino Jacopino del Conte (1510-1598). L'esemplare di migliore qualità è la tavola collocata al di sopra della vetrina. Questo dipinto fu donato nel 1771, come autoritratto di Michelangelo, alla Galleria degli Uffizi dalla famiglia Strozzi; ma subito dopo se ne rifiutò la paternità michelangiolesca. Oggi la critica lo avvicina direttamente alla bottega di Jacopino del Conte.

On display in this room are several portraits, on loan from the Florentine Galleries, which, though executed in different periods, ranging from the sixteenth to the nineteenth century, all derive from the prototype of the famous portrait of the artist painted in Rome around 1535 by the Florentine Jacopino del Conte (1510-98). The finest example is the panel located above the showcase. This painting was donated to the Galleria degli Uffizi by the Strozzi family in 1771, when it was considered a self-portrait by Michelangelo. Immediately afterward, however, the authorship of Michelangelo was rejected. Nowadays historians ascribe it directly to the workshop of Jacopino del Conte.

Attribuito a Marcello Venusti
(Como 1512/1515 - Roma 1579)
Ritratto di Michelangelo
post 1535
tela, 36 × 27 cm
inv. 188

L'opera, collocata al di sopra della porta d'ingresso al piano nobile della Casa Buonarroti, è tradizionalmente attribuita a Marcello Venusti e deriva dal ritratto di Michelangelo eseguito da Jacopino del Conte. Al contrario dei pezzi esposti nella sala adiacente, questo dipinto non è in deposito dalle Gallerie fiorentine, ma fa parte da secoli delle collezioni della famiglia Buonarroti: è infatti nominato in un inventario del 1799, che ne precisa anche la collocazione nelle sale secentesche del palazzo.
Merita menzione la ricca cornice barocca, opera di artigianato fiorentino del XVII secolo.

Bibliografia: Ernst Steinmann, *Die Portraitdarstellungen des Michelangelo*, Leipzig 1913, pp. 31-32; Ugo Procacci, *La Casa Buonarroti a Firenze*, Milano 1965, pp. 193-194.

Attributed to Marcello Venusti
(Como 1512/1515 - Rome 1579)
Portrait of Michelangelo
after 1535
canvas, 36 × 27 cm
inv. 188

The picture, located above the entrance to the piano nobile to the Casa Buonarroti, is traditionally attributed to Marcello Venusti and is derived from the portrait of Michelangelo painted by Jacopino del Conte. Unlike the pieces on show in the adjoining room, this painting is not on deposit from the Florentine Galleries, but has been part of the Buonarroti family collections for centuries: in fact it is mentioned in an inventory of 1799, which also states that it was located in the building's seventeenth-century rooms. It is worth mentioning the lavish baroque frame, the work of a seventeenth-century Florentine craftsman.

Bibliography: *Ernst Steinmann,* Die Portraitdarstellungen des Michelangelo, *Leipzig 1913, pp. 31-32; Ugo Procacci,* La Casa Buonarroti a Firenze, *Milan 1965, pp. 193-194.*

Madonna della scala e Battaglia dei centauri

Sono esposti in questa sala i due rilievi della prima giovinezza di Michelangelo, che sono l'emblema più vero e riconosciuto della Casa Buonarroti. Michelangelo il Giovane li aveva sistemati all'interno delle sale secentesche del piano nobile: la *Battaglia* nella Galleria, sotto la grande tavola dell'*Epifania* di Ascanio Condivi, allora attribuita a Michelangelo; la *Madonna* nella Camera degli angioli, dove si trovava, e si trova tuttora, anche una replica bronzea del rilievo. Nel 1875, la Casa Buonarroti fu un simbolo privilegiato delle celebrazioni fiorentine per il quarto centenario della nascita di Michelangelo; uno degli esiti dell'evento fu lo spostamento della *Battaglia* nella sala che ancor oggi l'ospita, intanto che veniva apposta una lapide commemorativa sotto l'*Epifania*. La *Madonna* rimase invece a lungo nella Camera degli angioli, dove risulta registrata ancora nel 1896. Testimonianze fotografiche dell'inizio del nostro secolo vedono però riuniti i due rilievi michelangioleschi nella stessa sala, dove rimasero per qualche decennio esposti insieme a pezzi delle collezioni di famiglia e a cimeli ottocenteschi. Nei primi anni cinquanta del nostro secolo, quando cominciò a risultare inattuale l'allestimento del Museo, con le sale piene di oggetti riuniti spesso alla rinfusa, o disposti senza gerarchie qualitative o comunque di contenuto, cominciò a farsi strada l'esigenza di nuove soluzioni, che trovò il suo punto focale proprio in questa sala. Lo studio dei non pochi tentativi di dare in essa corretto risalto ai due rilievi, a partire dagli anni cinquanta fino ai nostri giorni, è di grande interesse, anche perché permette di cogliere le incertezze e le difficoltà che la cultura del secondo dopoguerra continua a incontrare nel cimentarsi a livello museale con l'arte di Michelangelo.

Michelangelo Buonarroti
(Caprese 1475 - Roma 1564)
Madonna della scala
1490 circa
marmo, 56,7 × 40,1 cm
inv. 190

La *Madonna della scala*, di cui non si conoscono menzioni durante la vita di Michelangelo, viene citata per la prima volta nell'edizione giuntina (1568) delle *Vite* di Giorgio Vasari, dove si riferisce che l'opera era stata donata "non è molti anni" da Leonardo Buonarroti,

This room houses the two reliefs carved by Michelangelo in his early youth, which are the true and most widely-recognized emblem of the Casa Buonarroti. Michelangelo the Younger had put them on display in the seventeenth-century rooms of the piano nobile: the Battle *in the Galleria, under the large picture of the* Epiphany *by Ascanio Condivi, attributed at the time to Michelangelo; the* Madonna *in the* Camera degli angioli, *which also contained, and still contains, a bronze replica of the relief. In 1875, Casa Buonarroti was one of the principal symbols of the celebrations for the fourth centenary of the birth of Michelangelo that were staged in Florence. One byproduct of the event was the moving of the* Battle *to the room in which it can still be seen today, while a memorial tablet was installed underneath the* Epiphany. *The* Madonna, *on the other hand, remained for a long time in the* Camera degli angioli, *where its presence was still recorded in 1896. Yet photographs taken at the beginning of the twentieth century show Michelangelo's two reliefs in the same room, where they were displayed for several decades alongside pieces from the family collections and nineteenth-century curios. In the early 1950s, with the rooms filled with what was often a motley selection of objects, or one laid out with any regard to without quality or content, the need for new solutions started to become apparent. The efforts were focused on just this room. A study of the various attempts that have been made to give the correct prominence to the two reliefs, from the fifties down to the present day, is of great interest, in part because it allows us to grasp the uncertainties and difficulties that postwar culture continued to encounter in its efforts to come to grips with the art of Michelangelo.*

Michelangelo Buonarroti
(Caprese 1475 - Rome 1564)
Madonna della scala
circa 1490
marble, 56.7 × 40.1 cm
inv. 190

The Madonna della scala, *or* Madonna of the Stairs, *of which no mention was made during Michelangelo's lifetime, was cited for the first time in the Giunti edition (1568) of Giorgio Vasari's* Lives, *where it is stated that the work*

nipote dell'artista, al duca Cosimo I, "il quale la tiene per cosa singularissima". Prima di questo dono, molto probabilmente l'opera era sempre rimasta nella casa dell'artista in via Ghibellina, dove tornò nel 1616, quando il granduca Cosimo II la restituì a Michelangelo il Giovane, come segno di riconoscimento per l'opera di glorificazione del grande avo che si stava avviando in quegli anni nelle sale monumentali del piano nobile.
Già Vasari nota il rapporto tra la *Madonna della scala* e lo stile di Donatello: "volendo contrafare la maniera di Donatello, si portò sì bene che par di man sua, eccetto che si vede più grazia e più disegno". Ma il rapporto di Michelangelo con Donatello appare, già in quest'opera così giovanile, personale, intenso, senza dubbio di rottura: una rivisitazione affascinata, ma già polemica e di congedo.
Nonostante le dimensioni limitate, l'opera ha un respiro monumentale, con la figura femminile che occupa tutta l'altezza del rilievo, da un margine all'altro. Rimane ambiguo il significato sia della scala che dà il nome al rilievo sia dell'azione dei bambini: due in atteggiamento di danza e due che sembrano tendere un drappo dietro la Madonna.
La data del rilievo, considerato tradizionalmente, fin dal Vasari, opera dell'adolescenza di Michelangelo, è stata ed è molto discussa: pare tuttavia da confermare una collocazione intorno al 1490, prima della *Battaglia dei centauri*.

Bibliografia: Michael Hirst, in *Il giardino di San Marco*, catalogo della mostra in Casa Buonarroti, a cura di Paola Barocchi, Milano 1992, pp. 86-89, n. 17.

Michelangelo Buonarroti
Battaglia dei centauri
1490-1492
marmo, 80,5 × 88 cm
inv. 194

La prima testimonianza sulla *Battaglia dei centauri* è una lettera del 1527 dell'agente dei Gonzaga a Firenze, Giovanni Borromeo, a Federico marchese di Mantova, che voleva a tutti i costi un'opera di Michelangelo. Nella lettera si fa riferimento a un "certo quadro di figure nude, che combattono, di marmore, quale havea principiato ad instantia d'un gran signore, ma non è finito. È braccia uno e mezo a ogni

had been donated "not many years ago" by Leonardo Buonarroti to Duke Cosimo I, "who regards it as unique." Before this donation, it is very likely that the work had remained in the artist's house on Via Ghibellina, and this was where it returned in 1616, when Grand Duke Cosimo II gave it back to Michelangelo the Younger as a mark of recognition for the work of glorification of his great forefather that he was carrying out in the monumental rooms on the piano nobile in those very years.
Vasari noted the link between the Madonna della scala *and the work of Donatello, stating that it "was executed ... after the style of Donatello, and he acquitted himself so well that it seems to be by Donatello himself, save that it possesses more grace and design." And yet, even in this early work, Michelangelo's relationship with Donatello appears extremely personal and intense, and undoubtedly represents a break: a fascinated reexamination, but at the same time a challenge and a dismissal.*
In spite of its limited size, the work has a monumental air, with the female figure occupying the whole height of the relief, from the top to the bottom. The significance of both the stairs from which the relief takes its name and the children, two of them dancing and the other two apparently stretching a piece of cloth behind the Madonna, remains ambiguous.
The date of the relief, which has traditionally been considered, from Vasari onward, a work from Michelangelo's adolescence, has been and still is much disputed: however, the consensus appears to hover somewhere around 1490, and therefore before the Battle of the Centaurs.

Bibliography: *Michael Hirst, in* Il giardino di San Marco, *catalogue of the exhibition in Casa Buonarroti, edited by Paola Barocchi, Milan 1992, pp. 86-89, no. 17.*

Michelangelo Buonarroti
Battle of the Centaurs
1490-1492
marble, 80.5 × 88 cm
inv. 194

The earliest mention of the Battle of the Centaurs *is to be found in a letter written in 1527 by the agent of the Gonzaga family in Flo-*

mane, et così a vedere è cosa bellissima, e vi sono più di 25 teste e 20 corpi varii, et varie attitudine fanno". Il "gran signore" è Lorenzo il Magnifico.
Per quanto riguarda le fonti a stampa, l'opera viene ricordata per la prima volta nella *Vita di Michelagnolo Buonarroti* di Ascanio Condivi, pubblicata a Roma nel 1553, dove si trova testimonianza dell'apprezzamento di Michelangelo, ormai anziano, per questa sua grande opera dell'adolescenza: "... mi rammento udirlo dire, che, quando la rivede, cognosce, quanto torto egli habbia fatto alla natura a non seguitar l'arte della scultura, facendo giudicio per quel opera, quanto potesse riuscire". È stato giustamente osservato che la posizione del Cristo giudice, potente motore dell'intera azione nel *Giudizio finale* della Cappella Sistina, richiama la figura centrale della *Battaglia*: segno anche questo della memoria sempre viva nell'artista per il suo capolavoro giovanile.

rence, Giovanni Borromeo, to Federico, marchese of Mantua, who wanted to get hold of a work by Michelangelo at any price. The letter refers to a "certain picture of nude figures, in combat, made of marble, which he had begun at the request of a great lord, but is not finished. It is one and a half ells on each side, and so to see it is a beautiful thing, and there are more than twenty-five heads and twenty different bodies, and they adopt various attitudes." The "great lord" was Lorenzo the Magnificent.
As far as printed sources are concerned, the work was recorded for the first time in Ascanio Condivi's Vita di Michelagnolo Buonarroti, *published in Rome in 1553, where we find a testimony to the appreciation of the now elderly Michelangelo for the great work of his youth: "... I recall hearing him say that, whenever he sees it again, he realizes how much wrong he has done nature in not following the*

Mentre la biografia del Condivi testimonia che l'opera fu eseguita per Lorenzo il Magnifico, su un tema suggerito da Agnolo Poliziano, nell'edizione del 1568 delle *Vite* Giorgio Vasari inserisce la *Battaglia* nella descrizione del Giardino di San Marco, la proprietà di Lorenzo il Magnifico affacciata sulla piazza San Marco a Firenze, celebre palestra di esercizio per alcuni giovani artisti, tra cui Michelangelo adolescente.
L'opera rimase sempre nella casa fiorentina della famiglia Buonarroti, da dove non è mai uscita fino a oggi. Quando Michelangelo il Giovane cominciò ad allestire la Galleria al primo piano del palazzo, per poter inserire la *Battaglia* su uno dei lati brevi di questa sala, fece segare "una fetta di marmo" sul lato posteriore del rilievo (1614).
Il soggetto, definito dal Condivi "il ratto de Deianira e la zuffa de Centauri" e dal Vasari "la battaglia di Ercole coi Centauri", ha suscitato molte discussioni e resta non perfettamente definito: infatti il giovanissimo Michelangelo, pur riferendosi a una tematica già utilizzata nella cultura figurativa fiorentina dell'ultimo ventennio del Quattrocento, appare interessato a comunicare un'impressione di forza e di azione più che a illustrare un preciso episodio mitologico.
Il rilievo è, come scriveva l'agente dei Gonzaga, "principiato" ma "non finito". Le figure in primo piano rimangono attaccate al fondo con pezzi di marmo che dovevano essere rimossi. Tutti i personaggi mostrano i segni dello scalpello. Per quanto riguarda la striscia superiore, si può solo congetturare che cosa Michelangelo prevedesse di rappresentare.
È molto probabile che la *Battaglia* sia stata lasciata incompiuta da Michelangelo a causa della morte, nella primavera del 1492, di Lorenzo il Magnifico.

Bibliografia: Michael Hirst, in *Il giardino di San Marco*, catalogo della mostra in Casa Buonarroti, a cura di Paola Barocchi, Milano 1992, pp. 52-62, n. 12.

art of sculpture, when, judging by that work, he could have done so much." It has rightly been observed that the position of Christ the Judge, the fulcrum for the whole action of the Last Judgment *in the Sistine Chapel, is reminiscent of the central figure in the* Battle*: yet another sign that the memory of the masterpiece of his youth was still vivid for the artist.*
While Condivi's biography states that the work was executed for Lorenzo the Magnificent, on a theme suggested by Politian, in the 1568 edition of the Lives *Giorgio Vasari includes the* Battle *in his description of the Garden of San Marco, the piece of land owned by Lorenzo the Magnificent and facing onto Piazza San Marco in Florence, which was a celebrated training ground for a number of young artists, including the adolescent Michelangelo. The work has always been in the Florentine house of the Buonarroti family, which it has never left right down to the present day. When Michelangelo the Younger started to set up the Gallery on the second floor of the palace, he had "a slice of marble" cut off from the back of the relief in order to place it on one of the shorter walls of this room (1614). The subject, described by Condivi as "the abduction of Deianeira and the scuffle of Centaurs" and by Vasari as "the battle of Hercules with the Centaurs," has provoked a great deal of debate and the matter is still not completely settled: in fact the young Michelangelo, while drawing on a theme that had already been used in the Florentine figurative culture of the last two decades of the fifteenth century, appears to have been more interested in conveying an impression of strength and action than in illustrating a particular episode from mythology. The relief is, as the agent of the Gonzagas wrote, "begun" but "not finished." The figures in the foreground are still attached to the background by pieces of marble that should have been removed. All the figures still show the marks of the scalpel. As for the upper strip of the relief, we can only conjecture what Michelangelo intended to represent there. In all likelihood the* Battle *was left incomplete by Michelangelo because of the death of Lorenzo the Magnificent, in the spring of 1492.*

Bibliography: *Michael Hirst, in* Il giardino di San Marco, *catalogue of the exhibition in Casa Buonarroti, edited by Paola Barocchi, Milan 1992, pp. 52-62, no. 12.*

Michelangelo e la fabbrica di San Lorenzo

Sono riuniti in questa sala due grandiosi progetti michelangioleschi, entrambi destinati alla fabbrica di San Lorenzo a Firenze ed entrambi non realizzati. Il grande modello ligneo per la facciata della chiesa di San Lorenzo rimase a lungo nel vestibolo della Biblioteca Laurenziana. Proveniva probabilmente dalla dimora romana di Michelangelo, dove è ricordato in una lettera dell'artista al nipote Leonardo del 1555, che ne preannunciava l'invio a Firenze al duca Cosimo I. L'opera giunse in Casa Buonarroti alla fine dell'Ottocento.
Il modello raffigurante una divinità fluviale, preparatorio per una scultura che avrebbe dovuto trovare collocazione nella Sagrestia Nuova, giunse in Casa Buonarroti nel 1965, provenendo dall'Accademia del Disegno, dove era giunto, come dono di Bartolomeo Ammannati, nel 1583.

In this room we find two of Michelangelo's grandest projects, both intended for the fabric of San Lorenzo in Florence and both unrealized. The large wooden model of the facade of the church of San Lorenzo stood for a long time in the vestibule of the Biblioteca Laurenziana. It probably came from Michelangelo's house in Rome, where its presence was recorded in a letter written by the artist to his nephew Leonardo in 1555, stating that it was going to be sent to Duke Cosimo I in Florence. The work was moved to Casa Buonarroti at the end of the nineteenth century.
The figure of a river god, a preparatory model for a sculpture that was to have been set up in the New Sacristy, came to Casa Buonarroti in 1965 from the Accademia di Disegno, to which it had been donated by Bartolomeo Ammannati in 1583.

Su progetto di Michelangelo Buonarroti
Modello per la facciata di San Lorenzo
1518 circa
legno, 216 × 283 × 50 cm
inv. 518

Tra il novembre e il dicembre del 1515 Leone X, della famiglia Medici, papa da due anni, decise di tornare in visita solenne a Firenze, e in quella occasione nacque l'idea di indire un concorso per dotare di facciata San Lorenzo, l'incompiuta basilica brunelleschiana patrocinata dai Medici sin dalla fondazione (avvenuta nel 1421), e luogo deputato per le loro sepolture. La proposta cadeva in un momento in cui Michelangelo sembrava volgere una particolare attenzione ai problemi della composizione architettonica: di qui forse l'accanimento dell'artista nel corso della vicenda che lo portò a essere unico autore del progetto finale. Erano con lui, all'inizio, Antonio e Giuliano da Sangallo, Jacopo Sansovino, Baccio d'Agnolo, lo stesso Raffaello. Sembra che dapprima a Michelangelo fosse affidato soltanto il compito di sovrintendere alla decorazione scultorea, mentre Jacopo Sansovino procedeva a far eseguire a Baccio d'Agnolo un modello ligneo per la facciata, molto apprezzato sul momento, e oggi perduto. Nel corso dell'anno 1516 la contesa per una così prestigiosa commissione toccò momenti di aspra lotta, finché, nell'autunno, Michelangelo ottenne da Leone X l'incarico anche per la progettazione architettoni-

To a design by Michelangelo Buonarroti
Model for the Facade of San Lorenzo
circa 1518
wood, 216 × 283 × 50 cm
inv. 518

In 1515, two years after he ascended the papal throne, Leo X, a member of the Medici family, decided to pay a formal visit to Florence between November and December. It was on that occasion that the idea was put forward of holding a competition to design a facade for San Lorenzo, Brunelleschi's unfinished basilica that had been patronized by the Medici ever since its foundation (in 1421) and was also the family's chosen place of burial. The proposal was made at a time when Michelangelo seems to have been particularly interested in the problems of architectural composition. This may be why the artist put up such a keen fight to be chosen as author of the final project. Along with Michelangelo, Antonio and Giuliano da Sangallo, Jacopo Sansovino, Baccio d'Agnolo and even Raphael took part in the competition. It seems that at first Michelangelo was entrusted solely with the supervision of the sculptural decoration, while Jacopo Sansovino had Baccio d'Agnolo build a wooden model for the facade. Though much appreciated at the time, this has now been lost. Over the course of the year 1516 the rivalry between the candidates for such a prestigious commission grew extremely fierce, but in the fall Leo X gave responsibili-

ca della facciata. Liberatosi finalmente dei concorrenti, egli risolse genialmente il problema che sempre assillava gli architetti del Rinascimento, quando si dovevano applicare correttamente gli ordini classici alle facciate irregolari delle chiese a pianta basilicale: nascose, e fece dimenticare, la struttura esterna della chiesa dietro lo scenario laico di uno splendido palazzo privato.
La progettazione michelangiolesca della facciata attraversò tre fasi principali, che si possono individuare in tre disegni della Collezione della Casa Buonarroti, il 45 A, il 47 A, il 43 A. L'immagine ormai precisata di quest'ultimo foglio si tradusse con ogni verosimiglianza nel grande modello ligneo della Casa Buonarroti che rispecchia il passaggio dalla fase progettuale all'iter esecutivo, fissato nel contratto stipulato tra Leone X e l'artista il 19 gennaio 1518. Il 10 marzo 1520 Michelangelo stesso registra la rescissione del contratto, anche se solo per quanto concerne la fornitura del marmo, e il materiale fino ad allora raccolto viene destinato a pavimentare la chiesa di Santa Maria del Fiore. Ma l'attività del cantiere conti-

ty for the architectural design of the facade to Michelangelo as well. Having shaken off his competitors at last, he came up with an ingenious solution to the problem that had always beset the architects of the Renaissance: how to apply the classical orders correctly to the irregular facades of churches on a basilican plan. He made people forget all about the external structure of the church by concealing it behind the secular front of a splendid private palace.
Michelangelo's design of the facade went through three main phases, which can be identified in three drawings in the collection of Casa Buonarroti, nos. 45 A, 47 A and 43 A. In all likelihood it was the clearly-defined image in the last of these drawings that was translated into the large wooden model in Casa Buonarroti, which itself reflects the passage from the design stage to that of execution, as specified in the contract drawn up between Leo X and the artist on January 19, 1518. On March 10, 1520, Michelangelo himself registered the rescission of the contract, though only with regard to the supply of mar-

nua, pur se a rilento, e se ne hanno testimonianze certe fino all'aprile del 1521.
In quell'anno morì Leone X; dopo il breve pontificato di Adriano VI ascese al soglio papale, nel novembre del 1523, Clemente VII, anch'egli un Medici, che palesò più di una volta l'intenzione di riprendere i lavori della facciata. Soltanto la sua morte (1534) esaurì per sempre ogni possibilità di realizzare il grande e tormentato progetto.

Bibliografia: Henry Millon, in *Michelangelo architetto*, catalogo della mostra in Casa Buonarroti, a cura di Henry Millon e Craig H. Smyth, Milano 1988, pp. 69-73, n. 15; Michael Hirst, *Michelangelo and his Drawings*, New Haven & London 1988, p. 103; Henry Millon, in *Rinascimento. Da Brunelleschi a Michelangelo. La rappresentazione dell'architettura*, catalogo della mostra, a cura di Henry Millon e Vittorio Magnago Lampugnani, Milano 1994, p. 572, n. 235.

Michelangelo Buonarroti
Dio fluviale
1524-1527 circa
argilla cruda, sabbia di fiume, peli animali, fibre vegetali, legno, fil di ferro e rete metallica, 65 × 140 × 70 cm
inv. Gallerie 1890, n. 1802

Questo pezzo è l'unico modello preparatorio di grandi dimensioni per una scultura, autografo di Michelangelo, giunto fino a noi. È il progetto per una statua per la Sagrestia Nuova, dove l'artista lavorò dal 1521 al 1534, anno in cui lasciò interrotta l'impresa al momento della sua partenza definitiva per Roma.
Michelangelo aveva previsto di inserire sul pavimento della Sagrestia Nuova, sotto le tombe dei duchi Giuliano e Lorenzo dei Medici, quattro statue, disposte due per due, raffiguranti divinità fluviali. L'opera di cui il *Dio fluviale* della Casa Buonarroti è il modello avrebbe dovuto essere collocata ai piedi della tomba di Lorenzo dei Medici, sulla sinistra; il foglio che contiene il progetto per il compagno di destra si conserva al British Museum. Un passo dei *Marmi* di Anton Francesco Doni – nel quale all'interlocutore che chiede: "Che stupende bozze di terra son queste qui basse?", l'accademico fiorentino risponde: "Havevano a esser due figuroni di marmo che Michelagnolo voleva fare" – permette di dedurre che i due

ble, and the material that had already been collected was used to pave the church of Santa Maria del Fiore. But the building work proceeded, though at a slow pace, and there are reliable records of it continuing up until the April of 1521. This was the year Leo X died. After the brief pontificate of Hadrian VI, Clement VII ascended the throne. Another member of the Medici family, he declared his intention to resume work on the facade on several occasions, and it was only on his death (1534) that all possibility of carrying out the ambitious and troubled project vanished for good.

Bibliography: *Henry Millon, in* Michelangelo architetto, *catalogue of the exhibition in Casa Buonarroti, edited by Henry Millon and Craig H. Smyth, Milan 1988, pp. 69-73, no. 15; Michael Hirst, Michelangelo and his Drawings, New Haven & London 1988, p. 103; Henry Millon, in* Rinascimento. Da Brunelleschi a Michelangelo. La rappresentazione dell'architettura, *exhibition catalogue, edited by Henry Millon and Vittorio Magnago Lampugnani, Milan 1994, p. 572, no. 235.*

Michelangelo Buonarroti
River God
circa 1524-1527
unfired clay, river sand, animal fur, plant fibers, wood, wire and wire mesh,
65 × 140 × 70 cm
inv. Gallerie 1890, no. 1802

This piece is the only one of Michelangelo's large-scale preparatory models for a sculpture to have survived. It represents the design for a statue to be placed in the New Sacristy, where the artist worked from 1521 to 1534, the year in which he departed for Rome, leaving the project uncompleted.
Michelangelo had planned to set up four statues of river gods on the floor of the New Sacristy, arranged in two groups of two beneath the tombs of Duke Giuliano and Lorenzo dei Medici. The work for which the River God *in Casa Buonarroti is the model was to have been located at the foot of the tomb of Lorenzo dei Medici, on the left. The drawing with the design for its companion on the right is now in the British Museum. A reference to the statues in Anton Francesco Doni's* La terza parte de' Marmi – *where in response to the*

delli si trovavano ancora, intorno alla metà del secolo, sul pavimento della cappella.
Assai raramente Michelangelo fece ricorso a modelli di grandi dimensioni per le sue sculture; in questo caso si sa che fu Clemente VII, il papa committente, a richiedergli esplicitamente, per le statue della Sagrestia Nuova, modelli in grandezza naturale, la cui esecuzione poteva essere affidata, almeno in parte, ad altri. Ma queste personificazioni dei fiumi rimasero tuttavia allo stadio di progetto.
L'emozionante *Dio fluviale* della Casa Buonarroti, rappresentato come una figura semidistesa, testimonia ancora una volta l'interesse sempre presente in Michelangelo per la statuaria antica. Infatti, nel mondo classico le personificazioni dei fiumi corrispondevano a figure maschili giacenti.
Del 1590 è la notizia di un primo restauro dell'o-

question "What are those wonderful clay models down there?" the Florentine academic declares "They are for two large figures of marble that Michelangelo wanted to make" – allows us to deduce that the two models were still standing on the floor of the chapel around the middle of the century.
It was very rare for Michelangelo to make use of large-scale models for his sculptures. In this case we know that Clement VII, the pope who had commissioned the statues for the New Sacristy, had expressly requested life-size models of them, whose execution could be left, at least in part, to others. Yet these personifications of rivers never got beyond the design stage.
The stirring image of the River God *in Casa Buonarroti, represented as a semi-incumbent figure, is yet another example of Michelangelo's unflagging interest in ancient statuary. In fact personifications of rivers in the classi-*

pera, che rimase per secoli di proprietà dell'Accademia del Disegno. Col passare del tempo si persero però le nozioni tanto della sua importanza quanto della paternità michelangiolesca. Il merito della riscoperta e dell'attribuzione a Michelangelo (1906) spetta allo storico dell'arte Adolf Gottschewski e allo scultore Adolf Hildebrand.

Bibliografia: Anton Francesco Doni, *La terza parte de' Marmi*, Venezia 1552, p. 24; Paola Barocchi, in Giorgio Vasari, *La vita di Michelangelo nelle redazioni del 1550 e del 1568*, Milano-Napoli 1962, III, p. 949; Johannes Wilde, *Michelangelo. Six Lectures*, Oxford 1978, pp. 127-128.

cal world always took the form of male figures lying down. There is a record from 1590 of the first restoration of the work, which remained the property of the Accademia di Disegno for centuries. Over the course of time, however, any notion either of the figure's importance or that it was the work of Michelangelo was lost. The credit for its rediscovery and attribution to Michelangelo (1906) must go to the art historian Adolf Gottschewski and the sculptor Adolf von Hildebrand.

Bibliography: *Anton Francesco Doni,* La terza parte de' Marmi, *Venice 1552, p. 24; Paola Barocchi, in Giorgio Vasari,* La vita di Michelangelo nelle redazioni del 1550 e del 1568, *Milan-Naples 1962, vol. III, p. 949; Johannes Wilde,* Michelangelo. Six Lectures, *Oxford 1978, pp. 127-128.*

Disegni di Michelangelo

Racconta il Vasari che Michelangelo, prima di morire a Roma nel 1564, aveva bruciato "gran numero di disegni, schizzi e cartoni fatti di man sua, acciò nessuno vedessi le fatiche durate da lui et i modi di tentare l'ingegno suo, per non apparire se non perfetto". Anche per quest'ansia di perfezione dell'artista la sua opera grafica risultò subito rara e ricercata: tanto che Leonardo, suo nipote ed erede, riuscì a comprare solo a caro prezzo sul mercato romano, dopo la morte dello zio, un gruppo di suoi disegni. Si tratta probabilmente dei fogli che intorno al 1566 lo stesso Leonardo avrebbe donato a Cosimo I dei Medici, insieme alla *Madonna della scala*.

Quando, nel secondo decennio del Seicento, Michelangelo Buonarroti il Giovane decise di allestire in memoria del grande antenato una serie di sale nella casa di famiglia di via Ghibellina, la *Madonna della scala* e una parte dei disegni donati ai Medici gli furono restituiti da Cosimo II. Gran parte dei disegni fu allora raccolta in volumi, ma i fogli che sembrarono di maggiore bellezza furono incorniciati e appesi alle pareti delle nuove sale: per esempio, nello Scrittoio la *Cleopatra*, nella Camera della notte e del dì uno dei progetti per la facciata di San Lorenzo, nella Camera degli angioli il cartonetto con la *Madonna col Bambino*.

La raccolta di disegni di Michelangelo di proprietà della famiglia Buonarroti era allora la più cospicua del mondo; e tale rimane tuttora, con i suoi più di duecento fogli, nonostante i gravi assalti subiti: fu infatti impoverita alla fine del Settecento da una prima vendita che il rivoluzionario Filippo Buonarroti fece al pittore e collezionista Jean-Baptiste Wicar; e nell'ottobre del 1859 da una seconda, che il cavalier Michelangelo Buonarroti fece al British Museum.

Nel 1858 era morto Cosimo Buonarroti, ultimo erede diretto della famiglia, che per questo possedeva anche la parte più consistente delle carte michelangiolesche, da lui lasciate per testamento al godimento pubblico, insieme al palazzo di via Ghibellina e agli oggetti in esso contenuti.

Da allora, i disegni della collezione restarono esposti in cornici e bacheche, e solo nel 1960 furono finalmente sottratti a questa sistemazione, che aveva procurato non pochi danni ai fogli. Ricoverati al Gabinetto Disegni e Stampe degli Uffizi e ivi restaurati, i disegni tornarono alla Casa Buonarroti nel 1975.

Poiché precisi motivi di conservazione invitano

Vasari tells us that, prior to his death at Rome in 1564, Michelangelo had burned "a large number of his own drawings, sketches and cartoons so that no one should see the labors he endured and the ways he tested his genius, and lest he should appear less than perfect." It is partly because of the artist's desire for perfection that his graphic work is so rare and valuable: even Leonardo, his nephew and heir, was obliged to pay a high price for a group of his drawings that came onto the Roman market after Michelangelo's death. These were probably the ones that Leonardo would donate to Cosimo I dei Medici around 1566, together with the Madonna della scala.

When, in the second decade of the seventeenth century, Michelangelo Buonarroti the Younger decided to devote a series of rooms in the family house on Via Ghibellina to the memory of his great ancestor, the Madonna della scala *and part of the drawings given to the Medici were returned by Cosimo II.*

Many of the drawings were collected in volumes at the time, but the ones that were considered most beautiful were framed and hung on the walls of the new rooms: for example, Cleopatra *in the Scrittoio, one of the designs for the facade of San Lorenzo in the* Camera della notte e del dì *and the small cartoon for a* Madonna and Child *in the* Camera degli angioli.

The collection of Michelangelo's drawings owned by the Buonarroti family was the largest in the world at the time, and it remains so today, with its over two hundred sheets, in spite of the serious inroads that have been made into it. In fact, the first loss came at the end of the eighteenth century, when the revolutionary Filippo Buonarroti sold some drawings to the painter and collector Jean-Baptiste Wicar, and the second in 1859, when Cavalier Michelangelo Buonarroti sold more of them to the British Museum.

Cosimo Buonarroti, the last direct heir of the family, died in 1858. He had been the owner of the greater part of Michelangelo's papers and he left them to the public in his will, along with the house on Via Ghibellina and the objects contained in it. From that time on, the collection of drawings remained on display in frames and showcases, and it was not until 1960 that they were rescued from this predicament, which had resulted in considerable damage to the sheets. Taken to the Gabinetto dei Disegni e delle Stampe of the Uffizi,

a non esporre permanentemente le opere grafiche, in questa sala sono presentati a rotazione piccoli nuclei della collezione.

Michelangelo Buonarroti
Nudo di schiena
1504-1505 circa
penna, tracce di matita nera, 408 × 284 mm
inv. 73 F

In questo disegno, tra i più noti e riprodotti della Collezione della Casa Buonarroti, è stato identificato uno studio per il gruppo centrale di giovani bagnanti della *Battaglia di Cascina*, l'affresco commissionato a Michelangelo, probabilmente nel 1504, dalla signoria fiorentina per la Sala del Maggior Consiglio (oggi Salone dei Cinquecento) di Palazzo Vecchio, dove Leonardo doveva dipingere, a gara, la *Battaglia di Anghiari*. Le due opere, come si sa, non furono mai portate a termine.
Il foglio 613 E del Gabinetto Disegni e Stampe degli Uffizi, che contiene uno schizzo per la composizione dell'affresco, permette di riconoscere la nostra figura nel gruppo di uomini nudi che, sulla sinistra, corrono verso il fondo. Dalla copia del cartone per la *Battaglia di Cascina* eseguita in monocromo su tavola da Aristotele da Sangallo nel 1542, ora a Holkham Hall, si deduce però che in una successiva elaborazione del progetto Michelangelo abolì questa figura.
Wilde per primo pensò a un riferimento all'antico per questo disegno, il cui modulo compositivo fu da lui avvicinato alle figure di un sarcofago tardo romano con le fatiche di Ercole. Questa indicazione, definita "generica" dal suo stesso autore, segna tuttavia un punto nella lunga linea che traccia, nella biografia artistica di Michelangelo, il suo costante rapporto con l'antico.
Tra il settembre e l'ottobre del 1528 Michelangelo riutilizzò questo foglio, dopo averlo piegato in quattro, per prendere alcuni appunti riguardanti il nipote Leonardo (una sua visita, il pagamento della fattura di un suo mantello e l'acquisto per lui di un paio di scarpe), e l'annotazione di altre piccole spese.

Bibliografia: Johannes Wilde, *Eine Studie Michelangelos nach der Antike*, in "Mitteilungen des Kunsthistorischen Instituts in Florenz", IV, 1932-1934, pp. 41-64; Giovanni Agosti e Vincenzo Farinella, *Michelangelo e l'arte*

they were restored and brought back to the Casa Buonarroti in 1975.
As the demands of conservation make it impossible to place the graphic works permanently on show, only small samples of the collection are displayed in rotation in this room.

Michelangelo Buonarroti
Nude from the Back
circa 1504-1505
pen and ink, traces of black pencil,
408 × 284 mm
inv. 73 F

This drawing, one of the best-known and most widely-reproduced in the collection in Casa Buonarroti, has been identified as a study for the central group of youths bathing in the river in the Battle of Cascina. *This was the fresco commissioned from Michelangelo by the Florentine Signoria, probably in 1504, for the Sala del Maggior Consiglio (now the Salone dei Cinquecento) in Palazzo Vecchio, in competition with Leonardo, who was supposed to paint the* Battle of Anghiari *there. As is well-known, neither of the works were ever finished.*
In folio 613 E in the Gabinetto dei Disegni e delle Stampe at the Uffizi, which contains a sketch for the composition of the fresco, it is possible to recognize the figure among the group of naked men who are running into the background on the left. However, the copy of the cartoon for the Battle of Cascina *painted in monochrome on panel by Aristotele da Sangallo in 1542, and now at Holkham Hall, shows that Michelangelo must have eliminated this figure in a subsequent version of the design.*
Wilde was the first to suggest a reference to ancient art in this drawing, comparing the module of its composition to the figures on a late Roman sarcophagus decorated with the labors of Hercules. Though this connection is described as "vague" by the author himself, it still represents a point on the long line that traces the interest in antiquity shown by Michelangelo throughout his career.
Between September and October of 1528 Michelangelo reused this sheet, after folding it in four, to make some notes concerning his nephew Leonardo (referring to a visit he made, the payment of a bill for his cloak and the purchase of a pair of shoes for him) as well as some other small expenses.

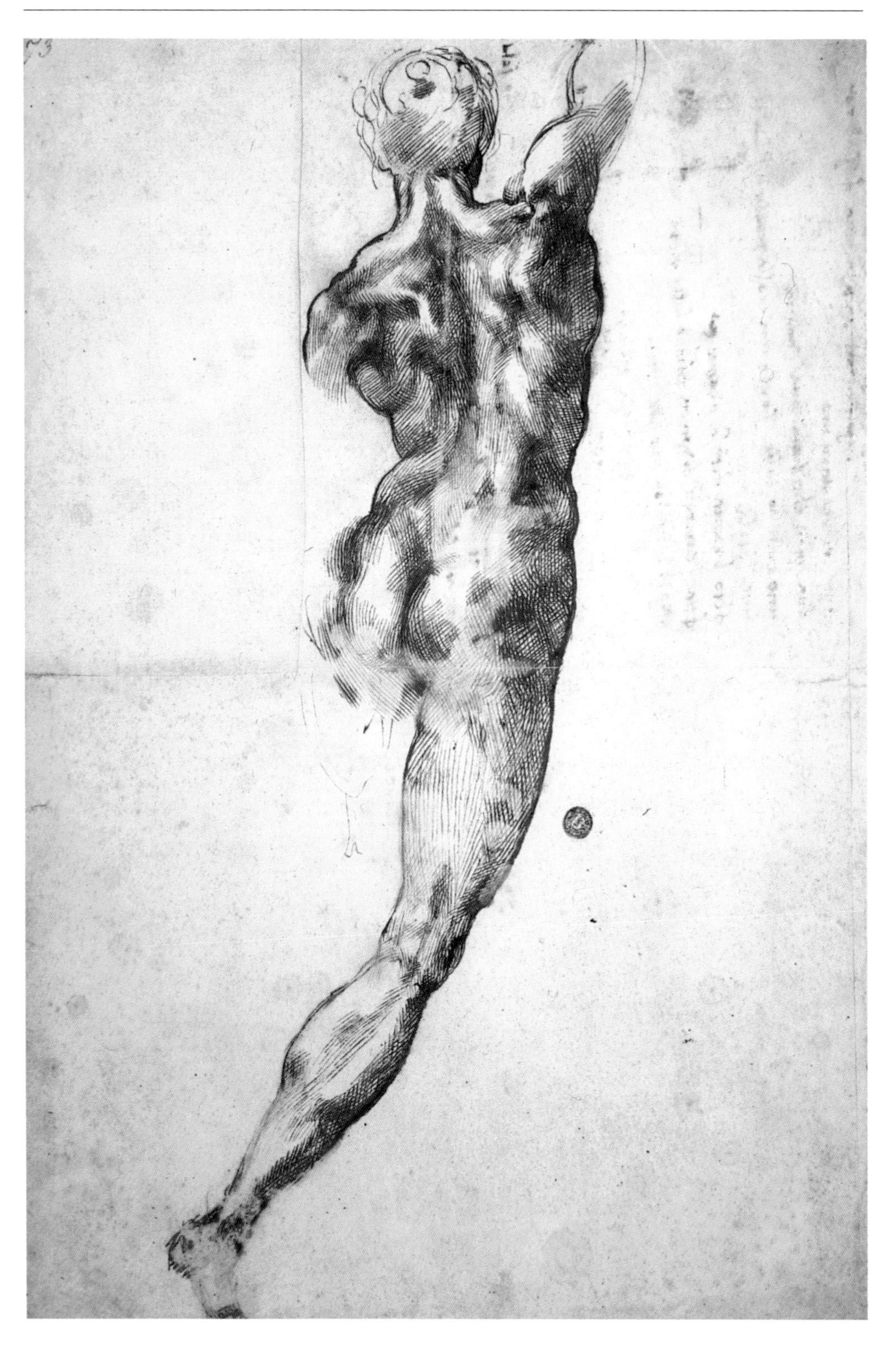

classica, catalogo della mostra in Casa Buonarroti, Firenze 1987, pp. 35-36, n. 9; Michael Hirst, *Michel-Ange dessinateur*, catalogo della mostra, Parigi-Milano 1989, pp. 16-17, n. 5.

Michelangelo Buonarroti
Madonna col Bambino
1525 circa
matita nera, matita rossa, biacca e inchiostro, 541 × 396 mm
inv. 71 F

Eseguito sul supporto ottenuto incollando uno accanto all'altro due fogli, questo disegno è stato definito "cartone" o "cartonetto"; ma in nessun modo vi si può ritrovare la fase preparatoria di una qualsivoglia opera a noi nota, di Michelangelo o di artista a lui legato. È invece illuminante pensare a questo pezzo, senza confronti nel *corpus* dei disegni di Michelangelo, come alla meditazione, continuamente ricorrente alla mente dell'artista, su una maternità troppo dolorosa per riuscire a concludere il proprio rapporto d'amore col figlio. Il più notevole pentimento di questo foglio rivela non a caso che Michelangelo in un primo momento aveva disegnato il volto della Madonna di profilo, con gli occhi rivolti in basso a guardare il Bambino: reminiscenza di una tradizione di tenerezza madre-figlio che l'artista, qui e tanto spesso altrove, non riesce ad accettare dai suoi maestri, approdando invece a una drammatica assenza di dialogo. L'immagine della madre che noi vediamo ha infatti positura ed espressione del tutto scisse dal Bambino attaccato al suo seno, e uno sguardo che si perde nel presagio di future sventure. Da un punto di vista meramente psicologico e di contenuto, senza dubbio l'enigma di questo sguardo è già intuito da Michelangelo adolescente, nella *Madonna della scala*; ma l'idea si evolve anche stilisticamente nel tempo, fino a trovare un suo vertice nella misteriosa *Madonna* della Sagrestia Nuova, le cui innegabili assonanze con il nostro foglio ne permettono la datazione qui accettata.
Numerosi pentimenti si osservano anche nel Bambino, la cui testa è tratteggiata con un delicato uso del chiaroscuro che la rende simile a quella della Madre; mentre il corpo, sbozzato e rifinito con effetti di illusione pittorica, è del tutto privo di sacralità, come condensa efficacemente Paola Barocchi quando parla del "risentito plasticismo del putto".

Bibliography: *Johannes Wilde,* Eine Studie Michelangelos nach der Antike, *in "Mitteilungen des Kunsthistorischen Instituts in Florenz", vol. IV, 1932-1934, pp. 41-64; Giovanni Agosti and Vincenzo Farinella,* Michelangelo e l'arte classica, *catalogue of the exhibition in Casa Buonarroti, Florence 1987, pp. 35-36, no. 9; Michael Hirst,* Michel-Ange dessinateur, *exhibition catalogue, Paris- Milan 1989, pp. 16-17, no. 5.*

Michelangelo Buonarroti
Madonna and Child
circa 1525
black pencil, red pencil, white lead and ink, 541 × 396 mm
inv. 71 F

Executed on a support made by gluing two sheets of paper side by side, this drawing has been described as a "cartoon." Yet it cannot be the preparatory phase for any work known to us, whether by Michelangelo or any artist linked to him. On the other hand, it is illuminating to think of this work, without parallel in the corpus of Michelangelo's drawings, as a meditation on a motherhood too painful to permit the establishment of a true relationship of love with the child, a theme that constantly preoccupied the artist. It is no coincidence that the most notable correction on this sheet reveals that Michelangelo had originally drawn the Madonna's face in profile, with her eyes lowered to gaze down at the Child: this was an echo of a tradition of tenderness between mother and child that the artist, here and in so many other places, was unable to accept from his teachers, preferring instead a dramatic absence of communication. In fact the image of the mother that we see now has a pose and expression that are totally detached from the baby at her breast, and a gaze that loses itself in the vision of future misfortunes. If we restrict our point of view merely to that of psychology and content, then there can be no doubt that the enigma of this gaze had already been explored by the adolescent Michelangelo, in the Madonna della scala. *But the idea also evolved stylistically over the course of time, reaching a peak in the mysterious* Madonna *in the New Sacristy, whose undeniable affinities with this drawing provide confirmation of the date accepted here.*
Numerous retouches can also be seen in the Child, whose head is sketched with a delicate

La disparità espressiva e di resa tecnica delle due figure rende senza dubbio problematica e non facile la lettura generale del disegno; rimane tuttavia inspiegabile che anche a questa disparità si sia ricorsi, da parte di pochi studiosi, della statura però di un Berenson o di un Dussler, per negare la paternità michelangiolesca dell'opera.
Già Michelangelo il Giovane riconobbe l'eccellenza del "cartonetto", collocandolo nella Camera degli angioli, cioè nel centro, anche spirituale, delle sale secentesche da lui allestite al piano nobile della Casa. La fama del disegno toccò però il suo culmine nel corso dell'Ottocento, e specialmente nell'occasione del centenario michelangiolesco del 1875, quando la mostra di disegni della Casa Buonarroti rese nota la collezione anche all'estero. Risale probabilmente a quegli anni un intervento scoperto nel corso di un recente restauro: la parte superiore del foglio reca i segni di un taglio, fatto verosimilmente per motivi di incorniciatura, che ha però asportato al centro parte del velo della Madonna.

Bibliografia: Paola Barocchi, *Michelangelo e la sua scuola. I disegni di Casa Buonarroti e degli Uffizi*, I, 1962, pp. 149-152, n. 121; Michael Hirst, *Michel-Ange dessinateur*, catalogo della mostra, Parigi-Milano 1989, pp. 88-89, n. 36; Flavio Fergonzi, in *Michelangelo nell'Ottocento-Rodin e Michelangelo*, a cura di Maria Mimita Lamberti e Christopher Riopelle, catalogo della mostra in Casa Buonarroti, Milano 1996, pp. 166-169, n. 38.

Michelangelo Buonarroti
Studi per la testa della Leda
1530 circa
matita rossa, 354 × 269 mm
inv. 7 F

Il disegno è unanimemente riconosciuto come uno dei pezzi più belli e importanti della produzione grafica di Michelangelo. La testa china, ritratta di profilo, riporta alla posizione della *Notte* della Sagrestia Nuova, e ha una splendida sicurezza di segno resa vibrante dalla evidente ripresa dal vero: per primo il Wilde, seguito dalla maggior parte degli studiosi, suppose che il modello fosse Antonio Mini, allievo dell'artista. Sarà inutile ricordare la frequenza in quei tempi di modelli maschili per immagini di donna; è invece da sottolineare co-

use of shading that makes it resemble that of the Mother. The body, on the other hand, drawn and finished to produce an effect of pictorial illusion, is totally devoid of any sense of the sacred, as Paola Barocchi has effectively summed up by speaking of the "powerful plasticism of the putto."
The disparity in expressiveness and technique of representation between the two figures certainly renders any general interpretation of the drawing problematic. And yet it remains inexplicable that a few scholars, though of the stature of a Berenson or Dussler, should have used this disparity to deny Michelangelo's authorship of the drawing.
Michelangelo the Younger had recognized the excellence of the "cartoon," placing it in the Camera degli angioli, *i.e. at the physical and spiritual center of the eighteenth-century rooms he created on the piano nobile of the house. But the drawing reached the peak of its fame in the nineteenth century, and in particular on the occasion of the centenary of Michelangelo's birth in 1875, when the exhibition of drawings in Casa Buonarroti made the collection known abroad as well. It was probably during these years that an intervention discovered during a recent restoration was made: the upper part of the sheet shows signs of having been cut off. This was probably done to make it fit into a frame, but it has removed the central part of the Madonna's veil.*

Bibliography: *Paola Barocchi,* Michelangelo e la sua scuola. I disegni di Casa Buonarroti e degli Uffizi, *I, 1962, pp. 149-152, no. 121; Michael Hirst,* Michel-Ange dessinateur, *exhibition catalogue, Paris-Milan 1989, pp. 88-89, no. 36; Flavio Fergonzi, in* Michelangelo nell'Ottocento-Rodin e Michelangelo, *edited by Maria Mimita Lamberti and Christopher Riopelle, catalogue of the exhibition in Casa Buonarroti, Milan 1996, pp. 166-169, no. 38.*

Michelangelo Buonarroti
Studies for the Head of Leda
circa 1530
red pencil, 354 × 269 mm
inv. 7 F

The drawing is unanimously recognized as one of the finest and most important of Michelangelo's entire graphic production. The bowed head, portrayed in profile, is rem-

me lo schizzo, in basso a sinistra, del particolare del naso e dell'occhio, con lunghe ciglia femminili, ingentilisca i tratti già assai sfumati e pensosi del profilo.
Concorde è il riferimento del foglio alla *Leda*, il dipinto perduto la cui vicenda tocca momenti storici della biografia di Michelangelo, intrecciandosi con la complicata storia dei rapporti tra Alfonso I d'Este, duca di Ferrara, e il

iniscent of the pose of the figure of Night *in the New Sacristy, and displays a splendid sureness of touch made vibrant by the obvious fact that it was drawn from life. Wilde was the first to suggest that the model was Antonio Mini, one of the artist's pupils, and this has been accepted by the majority of scholars. There is no need to point out how common it was for male models to be used for images of*

papa Giulio II. Colpito da scomunica nell'estate del 1510 per aver scelto, come avversario di Venezia e alleato di Luigi XII re di Francia, il campo opposto a quello del pontefice, Alfonso soltanto due anni dopo, in seguito all'inattesa sconfitta dei francesi in Italia, si decise a sottomettersi e si recò a Roma, dove ottenne l'assoluzione papale. Tre giorni dopo questo evento, l'11 luglio, lo stesso Giulio II gli permise di salire sulle impalcature della Cappella Sistina, la cui volta era stata ormai quasi del tutto affrescata da Michelangelo. Il lungo colloquio con il duca, estasiato dall'ammirazione, terminò con la promessa da parte dell'artista di dipingere un quadro per lui. Diciassette anni dopo Michelangelo, impegnato nella difesa di Firenze assediata dalle forze pontificie, fu a Ferrara, ospite di Alfonso, per studiare i suoi famosi sistemi di fortificazione; e si lasciò finalmente convincere a esaudirne l'antico desiderio. Forse fu proprio la necessità di rimanere nascosto dopo la caduta di Firenze, nell'agosto del 1530, a permettergli di attendere all'opera. Verso la metà di ottobre dello stesso anno, il "quadrone da sala" era finito; ma non giunse mai a Ferrara per l'insipienza del messo inviato dal duca a ritirarlo, che definì il dipinto, al cospetto dell'autore, "poca cosa". Michelangelo si adirò molto per questo, e, come racconta il Condivi, "licenziato il ducal messo, di lì a poco tempo donò il quadro a un suo garzone". Questo garzone era Antonio Mini, che insieme alla *Leda* sembra aver ricevuto da Michelangelo anche alcuni disegni e il cartone preparatorio del dipinto. Si è anche supposto, con qualche ragione, che il dipinto fosse consegnato al Mini dall'autore non in dono ma perché lo vendesse; sta di fatto che il Mini si trovava in Francia tra 1531 e 1532, e che la *Leda* fu sicuramente nelle sue mani. Dopo la sua morte (1533) si hanno ancora notizie contrastanti di contese intorno al dipinto. Secondo il Vasari, esso giunse nelle collezioni di Francesco I a Fontainebleau. Ben presto però se ne perse ogni traccia; ma la straordinaria invenzione michelangiolesca, di cui il nostro disegno è luminoso presagio, è giunta fino a noi attraverso numerose copie e derivazioni nelle tecniche più diverse, tra le quali il famoso dipinto della National Gallery di Londra, attribuito al Rosso, e anche una tavoletta di fine Cinquecento attualmente esposta in Casa Buonarroti.

Bibliografia: Johannes Wilde, *Notes on the Genesis of Michelangelo's "Leda"*, in *Fritz*

women in those days. What should be stressed, however, is the way that the sketch, at bottom left, of the detail of the nose and eye, with long and feminine lashes, softens the already gentle and thoughtful features of the profile. Scholars are also in agreement in referring the drawing to the Leda, *the lost painting that is connected with some crucial moments in Michelangelo's life and bound up with the complicated story of his relations with Alfonso d'Este, duke of Ferrara, and Pope Julius II. Excommunicated in the summer of 1510 for having chosen, as an adversary of Venice and ally of King Louis XII of France, the opposite side to that of the pope, Alfonso, following the unexpected defeat of the French in Italy just two years later, decided to submit and went to Rome, where he obtained papal absolution. Three days afterward, on July 11, Julius II allowed him to climb onto the scaffolding of the Sistine Chapel, whose ceiling had by this time been almost completely frescoed by Michelangelo. The following long conversation between the artist and the duke, who was ecstatic with admiration, ended with a promise by Michelangelo to paint a picture for him. Seventeen years later Michelangelo, who had been given responsibility for the defenses of Florence, under siege by the papal forces, was in Ferrara as Alfonso's guest to study the city's famous fortifications, and allowed himself to be persuaded to fulfill the duke's long-standing desire. It may have been the need for him to remain in hiding after the fall of Florence, in August 1530, that allowed him to give his attention to the work. By around the middle of the following September, the "parlor picture" was finished. Yet it never reached Ferrara owing to the ignorance of the messenger sent by the duke to fetch it, who described the painting, to its author's face, as "nothing much." Michelangelo was enraged by this and, as we are told by Condivi, "shortly after the departure of the ducal messenger, gave the picture to one of his apprentices." This apprentice was Antonio Mini who, in addition to the* Leda, *seems to have received several drawings and the preparatory cartoon for the painting from Michelangelo. It has also been supposed, with some justification, that the painting was given to Mini not as a gift but to be sold. The fact remains that Mini was in France between 1531 and 1532, and that the* Leda *was undoubtedly in his possession. After his death (1533), there are conflicting records of further disputes over*

Saxl 1890-1948. A Volume of Memorial Essays from his Friends in England, a cura di D.J. Gordon, London 1957, pp. 270-280; Michael Hirst, *Michel-Ange dessinateur*, catalogo della mostra, Parigi-Milano 1989, pp. 92-93, n. 38.

Michelangelo Buonarroti
Studio di fortificazione
per la Porta al Prato di Ognissanti
1529-1530 circa
penna, acquerello, matita rossa,
410 × 568 mm
inv. 13 A

Nei primi mesi del 1529 si diffusero a Firenze notizie allarmanti, secondo le quali il papa Medici Clemente VII si preparava a far tornare al potere, con l'aiuto dell'esercito imperiale, la sua famiglia, cacciata dalla città il 17 maggio di due anni prima. Il Governo Popolare decise allora di completare le opere di difesa intraprese ancora sotto i Medici nel 1526, e rimaste incompiute. Fu creato un comitato, i "Nove della Milizia", del quale fu chiamato a far parte Michelangelo, che poco dopo sarebbe stato nominato "governatore e procuratore generale delle fortificazioni". Investito di una carica così

the painting. According to Vasari, it ended up in the collections of Francis I at Fontainebleau. All trace of it was soon lost, however. Yet Michelangelo's extraordinary invention, of which this drawing is a luminous presage, has come down to us through numerous copies and derivations in a wide variety of media, including the famous painting in the National Gallery of London, attributed to Rosso, and even a small panel from the end of the sixteenth century that is currently on show at Casa Buonarroti.

Bibliography: *Johannes Wilde,* Notes on the Genesis of Michelangelo's "Leda," *in Fritz Saxl 1890-1948. A Volume of Memorial Essays from his Friends in England, edited by D.J. Gordon, London 1957, pp. 270-280; Michael Hirst,* Michel-Ange dessinateur, *exhibition catalogue, Paris-Milan 1989, pp. 92-93, no. 38.*

Michelangelo Buonarroti
Study of Fortification for the Porta
al Prato of Ognissanti
circa 1529-1530
pen and ink, watercolor, red pencil,
410 × 568 mm
inv. 13 A

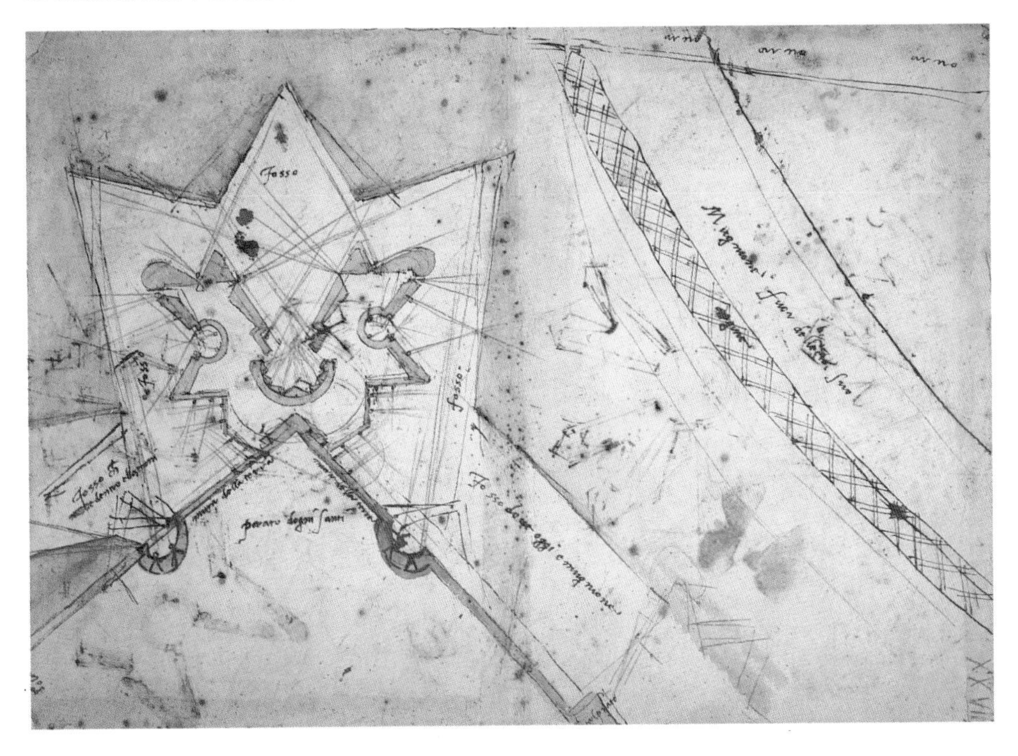

importante e incoraggiato dalla stima dei concittadini, Michelangelo elaborò allora una serie di proposte di difesa per le porte delle mura, che, per la loro complessità e novità, non furono realizzate o lo furono in una minima parte oggi distrutta. È stato perciò possibile precisare questi suoi progetti solo attraverso lo studio dei sedici straordinari disegni della Collezione della Casa Buonarroti, già segnalati fin dall'inizio del nostro secolo, ma valorizzati pienamente dal Tolnay e dalla Barocchi e, più recentemente, da Pietro Marani e da Amelio Fara.
In questi disegni si riconoscono oggi una spiccata originalità e una vocazione dinamica pienamente coerenti con le architetture michelangiolesche a essi contemporanee, e anche innegabili novità tattiche e strategiche. Ma attribuire a tali progetti la validità operativa che non riuscirono a scoprire i contemporanei dell'artista non toglie a questo gruppo di fogli una loro speciale valenza estetica. Ne è esempio questo 13 A, che ha avuto, tra gli studiosi, particolare fama per la sua comunicativa bellezza: tanto da essere stato definito da Paola Barocchi una "invenzione ... che si apre e rompe con una espansiva energia che impronta delle proprie direttrici spaziali l'ambiente circostante".

Bibliografia: Paola Barocchi, *Michelangelo e la sua scuola. I disegni di Casa Buonarroti e degli Uffizi*, I, 1962, pp. 141-143, n. 114; Pietro C. Marani, *Disegni di fortificazioni da Leonardo a Michelangelo*, catalogo della mostra in Casa Buonarroti, Firenze, 1984, pp. 69-70, 79, nn. 36, 51.

Michelangelo Buonarroti
Cleopatra
1535 circa
matita nera, 232 × 182 mm
inv. 2 F

L'opera fa parte del gruppo di disegni di Michelangelo detti *presentation drawings*. Con questa definizione, coniata da Johannes Wilde, si intendono i pochi fogli realizzati dall'artista non a fini progettuali o di studio, ma, dichiaratamente, per farne dei doni: invenzioni altamente elaborate, dai soggetti complessi, sempre profani e spesso di non facile interpretazione. E infatti la *Cleopatra* fu eseguita per Tommaso Cavalieri, il giovane romano conosciuto da Michelangelo nel 1532, e destinatario

In the first few months of 1529, alarming news spread through Florence, to the effect that the Medici Pope Clement VII was preparing, with the assistance of the Imperial army, to restore to power his family, expelled from the city on May 17 just two years earlier. The Popular Government decided to complete the defensive works commenced under the Medici in 1526, which had never been completed.
A committee, known as the "Nine of the Militia," was set up and Michelangelo was called to serve on it. Within a short time he was appointed "governor and procurator general of the fortifications." Assigned such an important post and encouraged by the esteem of his fellow-citizens, Michelangelo drew up a series of proposals for defending the gates in the walls. Owing to their complexity, however, they were not implemented, or only to a very small extent, and whatever was built has now been destroyed.
So all that we know about these plans has come from study of the sixteen extraordinary drawings in the Casa Buonarroti, to which attention had already been drawn at the beginning of the twentieth century but whose significance has been fully revealed by Tolnay and Barocchi and, more recently, by Pietro Marani and Amelio Fara.
Today we can discern the marked originality of these drawings, as well as a dynamic character that is fully in keeping with the works of architecture designed by Michelangelo around this time, not to mention some undeniable tactical and strategic innovations. But recognizing the effectiveness of these designs, something that the artist's contemporaries were unable to perceive, does not detract from the aesthetic value of these sheets. An example of this is 13 A, which has attracted particular attention among scholars for its communicative force and beauty. Paola Barocchi has described it as an "invention ... that opens up and breaks out with an expansive energy that impresses its own lines of space on the surroundings."

Bibliography: *Paola Barocchi,* Michelangelo e la sua scuola. I disegni di Casa Buonarroti e degli Uffizi, *vol. I, 1962, pp. 141-143, no. 114; Pietro C. Marani,* Disegni di fortificazioni da Leonardo a Michelangelo, *catalogue of the exhibition in Casa Buonarroti, Florence, 1984, pp. 69-70, 79, nos. 36, 51.*

del gruppo più consistente, e straordinario per qualità, di questi disegni. Nel 1562, vivente ancora Michelangelo, Tommaso Cavalieri si trovò costretto a regalare il disegno al duca Cosimo I dei Medici, accompagnando però il dono con una lettera nella quale affermava che privarsi di quell'opera gli aveva procurato non meno sofferenza della perdita di un figlio; infatti, nell'imminenza di separarsene, ne volle

Michelangelo Buonarroti
Cleopatra
circa 1535
black pencil, 232 × 182 mm
inv. 2 F

This drawing belongs to the group of Michelangelo's works known as presentation drawings. This definition, coined by Jo-

far eseguire una copia da un "maestro amico suo", come risulta da una lettera del 24 gennaio 1562 dell'ambasciatore di Cosimo I alla corte papale, Averardo Serristori. Nel 1614 la *Cleopatra*, per volontà di Cosimo II, giunse però in Casa Buonarroti.
Da quando, nell'agosto del 1988, una operazione di restauro su questo foglio permise di ritrovare, sul suo verso, un altro disegno autografo di Michelangelo, la notizia non cessa di suscitare interesse. Nel corso del restauro il disegno fu infatti liberato dal controfondo, e si scoprì un'altra immagine di Cleopatra, identica come invenzione, con lo stesso movimento dell'acconciatura che diventa serpente, ma, rispetto alla nobile e rifinita classicità del recto, molto più immediata ed esprimente viva angoscia. Accanto al volto dell'antica regina egiziana si vede, appena accennato, un profilo di vecchio.
Le opere di Michelangelo vennero di frequente e attraverso i secoli copiate e tradotte in altre tecniche da molti artisti: il fatto che di questo verso non esistano copie induce a supporre che il disegno sia stato coperto molto precocemente.

Bibliografia: Margaret Daly Davis, in *Giorgio Vasari*, catalogo della mostra, Firenze 1981, pp. 253-254, n. 7; *Le due Cleopatre e le "teste divine" di Michelangelo*, catalogo della mostra in Casa Buonarroti, Firenze 1989, *passim*; Michael Hirst, *Michel-Ange dessinateur*, catalogo della mostra, Parigi-Milano 1989, pp. 118-119, n. 48.

hannes Wilde, is applied to drawings made by the artist not for the purposes of design or study, but as gifts. They are extremely elaborate images, with subjects that are complex, always profane and often far from easy to interpret. And in fact the Cleopatra *was executed for Tommaso Cavalieri, the young Roman whom Michelangelo met in 1532 and who was the recipient of the largest number and most extraordinary of these drawings. In 1562, when Michelangelo was still alive, Tommaso Cavalieri was obliged to present the work to Duke Cosimo I dei Medici, though he accompanied the gift with a letter in which he said that relinquishing the drawing had caused him no less suffering than the loss of a child. In fact, as the time approached to give up the work, he decided to have a copy made by an "artist friend of his," as we are informed by a letter dated January 24, 1562, from Cosimo I's ambassador to the papal court, Averardo Serristori. In 1614, however, Cosimo II had the* Cleopatra *sent to Casa Buonarroti.*
Ever since the time, in August 1988, when restoration work on the sheet revealed the existence of another drawing by Michelangelo on the verso, it has aroused considerable interest.
The removal of a layer of priming during the restoration brought to light another picture of Cleopatra, identical in composition and with the same feature of the hair turning into a serpent. But, in comparison with the noble and polished classicism of the drawing on the recto, it is much more immediate and there is an expression of anguish on Cleopatra's face. Alongside the ancient Egyptian queen, there is a barely sketched profile of an old man.
Michelangelo's works have been copied and translated into other media by many artists down the centuries: the fact that there are no copies of this verso leads us to assume that the drawing was covered up very early on.

Bibliography: *Margaret Daly Davis, in* Giorgio Vasari, *exhibition catalogue, Florence 1981, pp. 253-254, no. 7;* Le due Cleopatre e le "teste divine" di Michelangelo, *catalogue of the exhibition in Casa Buonarroti, Florence 1989, passim; Michael Hirst,* Michel-Ange dessinateur, *exhibition catalogue, Paris-Milan 1989, pp. 118-119, no. 48.*

Michelangelo Buonarroti
Pianta per la chiesa di San Giovanni dei Fiorentini
1559 circa
matita nera, penna, acquerello e biacca,
428 × 386 mm
inv. 124 A

Nel 1559 fu richiesto a Michelangelo ottantaquattrenne un progetto per la chiesa della nazione fiorentina a Roma, che doveva sorgere tra la sponda del Tevere e via Giulia, ed essere dedicata a san Giovanni, patrono di Firenze, e ai santi Cosma e Damiano, patroni della famiglia Medici. L'idea, nata ai tempi del papa mediceo Leone X, aveva ora l'appoggio del duca di Firenze, Cosimo I dei Medici.
Questa splendida testimonianza della vecchiaia di Michelangelo rappresenta la fase

conclusiva della progettazione, che comprende al centro un altare circondato da otto paia di colonne e agli angoli quattro cappelle: si tratta del progetto che fu prescelto e da cui Tiberio Calcagni, allievo dell'artista, trasse una copia da sottoporre a Cosimo dei Medici nel 1560.
Il disegno rivela quanto Michelangelo modificasse i propri progetti mano a mano che andava avanti a disegnare. Infatti l'aspetto nerastro di alcune zone della pianta, così diverso dalla parte centrale con l'altar maggiore, indica i punti in cui Michelangelo corresse e ricorresse il disegno, intervenendo con la penna e il pennello sopra la biacca ancora umida. La complessa costruzione di questa pianta appare

Michelangelo Buonarroti
Plan for the church of San Giovanni dei Fiorentini
circa 1559
black pencil, pen and ink, watercolor and white lead, 428 × 386 mm
inv. 124 A

In 1559 the eighty-four-year-old Michelangelo was asked to design a church for the Florentine community in Rome, to be built between the banks of the Tiber and Via Giulia and dedicated to the patron saint of Florence, John, and the patron saints of the Medici family, Cosmas and Damian. The idea, first

realizzata a partire da una serie di cerchi realizzati con il compasso, di cui si vedono ancora le tracce.
Il progetto di Michelangelo per San Giovanni dei Fiorentini non fu realizzato; la costruzione della chiesa, tuttora esistente, fu iniziata nel 1582 da Giacomo della Porta, che mise in opera una pianta a croce latina, e terminata soltanto nel 1614, con l'intervento di Carlo Maderno.

Bibliografia: Michael Hirst, *Michel-Ange dessinateur*, catalogo della mostra, Parigi-Milano 1989, pp. 156-157, n. 62; Hubertus Gunther, in *Rinascimento. Da Brunelleschi a Michelangelo-La rappresentazione dell'architettura*, catalogo della mostra, a cura di Henry Millon e Vittorio Magnago Lampugnani, Milano 1994, p. 473, n. 71.

put forward in the time of the Medici pope Leo X, now had the support of the duke of Florence, Cosimo I dei Medici.
This splendid work from Michelangelo's old age represents the last stage in the design, with an altar at the center surrounded by eight pairs of columns and with chapels at the four corners: this is the design that was chosen and of which the artist's pupil Tiberio Calcagni made a copy to submit to Cosimo dei Medici in 1560.
The drawing shows the extent to which Michelangelo modified his designs as he went along. In fact the blackish appearance of some parts of the plan, so different from the central part with the high altar, marks the points where Michelangelo corrected the drawing over and over again, working with pen and brush on top of the still wet white lead. The complex construction of this plan appears to be based on a series of circles drawn with compasses, whose traces are still visible.
Michelangelo's project for San Giovanni dei Fiorentini was never carried out. The construction of the church, which is still standing, was begun in 1582 by Giacomo della Porta, who gave it a Latin-cross plan, and not completed until 1614, under the supervision of Carlo Maderno.

Bibliography: *Michael Hirst,* Michel-Ange dessinateur, *exhibition catalogue, Paris and Milan 1989, pp. 156-157, no. 62; Hubertus Gunther, in* Rinascimento. Da Brunelleschi a Michelangelo-La rappresentazione dell'architettura, *exhibition catalogue, edited by Henry Millon and Vittorio Magnago Lampugnani, Milan 1994, p. 473, no. 71.*

Galleria

Il complesso programma decorativo di questa sala e delle tre che seguono fu elaborato da Michelangelo Buonarroti il Giovane.
Argomento di questa prima sala, allestita tra il 1613 e il 1635, è l'elogio di Michelangelo, attraverso una singolare biografia per immagini realizzata dagli artisti più importanti allora operosi a Firenze, dall'Empoli al Passignano, da Artemisia Gentileschi a Giovanni da San Giovanni, da Matteo Rosselli a Francesco Furini. Le dieci tele alle pareti rappresentano per lo più i momenti in cui Michelangelo venne in contatto con papi e sovrani; le tele del soffitto raffigurano scene della morte e apoteosi dell'artista circondato da allegorie delle sue qualità; i monocromi si riferiscono a episodi biografici presi come esempi delle sue virtù. Completano le decorazioni tre sculture: un'effigie di Michelangelo di Antonio Novelli (1600-1662) e le personificazioni della vita attiva e della vita contemplativa di Domenico Pieratti (morto nel 1656). Le numerose iscrizioni latine furono fornite dal letterato Jacopo Soldani (1579-1651). Il pavimento, con piastrelle in maiolica policroma di Montelupo, fu realizzato nel 1616. I battenti a tarsie figurate delle porte furono eseguiti da Benedetto Calenzuoli su cartoni di Pietro da Cortona (1596-1669), ospite di Michelangelo il Giovane nel 1637 e nel 1641-1642.
Fino al 1875 era esposta nella Galleria la *Battaglia dei centauri*, collocata sotto la grande tavola di Ascanio Condivi, tratta da un cartone di Michelangelo, che Michelangelo il Giovane aveva acquistato come opera autografa del grande avo.

The complex decorative program of this and the following three rooms was drawn up by Michelangelo Buonarroti the Younger.
The theme of this first room, decorated between 1613 and 1635, is a eulogy of Michelangelo, in the form of a singular pictorial biography realized by the most important artists then at work in Florence, including Empoli, Passignano, Artemisia Gentileschi, Giovanni da San Giovanni, Matteo Rosselli and Francesco Furini. Most of the ten canvases on the wall represent meetings between Michelangelo and popes and sovereigns. The canvases on the ceiling depict scenes of the death and apotheosis of the artist, surrounded by allegories of his qualities. The monochromes refer to episodes from his life that are taken as examples of his virtues. The decoration is completed by three sculptures: an effigy of Michelangelo by Antonio Novelli (1600-1662) and personifications of the active and contemplative life by Domenico Pieratti (who died in 1656). The numerous Latin inscriptions were supplied by the scholar Jacopo Soldani (1579-1651). The floor, made of glazed polychrome tiles from Montelupo, was laid in 1616. The inlaid decorations of the wooden doors were made by Benedetto Calenzuoli to designs by Pietro da Cortona (1596-1669), who was Michelangelo the Younger's guest in 1637 and in 1641-1642.
Up until 1875 the Battle of the Centaurs *was exhibited in the Galleria, beneath the large picture by Ascanio Condivi (1515-1574) based on a cartoon by Michelangelo that Michelangelo the Younger had bought as his great ancestor's own work.*

Ascanio Condivi
(Ripatransone 1524/25 - 1574)
Epifania
ante 1554
tavola, 240 × 187 cm
inv. 214

Nel 1608 Michelangelo Buonarroti il Giovane acquistò a Firenze da Caterina Pandolfini, vedova di Bernardo Peri, un dipinto creduto di Michelangelo ("... si dice di mano di Michelagnolo il vecchio Buonarruoti", si legge nel contratto). L'opera proveniva da Roma, dove aveva fatto parte della raccolta di Antonio Peri, figlio di Caterina, morto nel 1601. L'acquisto avvenne tramite la mediazione del celebre architetto fiorentino Gherardo Silvani. La composi-

Ascanio Condivi
(Ripatransone 1524/25 - 1574)
Epiphany
before 1554
panel, 240 × 187 cm
inv. 214

In 1608 Michelangelo Buonarroti the Younger bought a painting from Caterina Pandolfi in Florence that was believed to be by Michelangelo ("is said to be the work of Michelagnolo the elder Buonarroti," states the deed). The work came from Rome, where it had been part of the collection of Caterina's son Antonio Peri, who had died in 1601. The celebrated Florentine architect Gherardo Sil-

zione dipende, con qualche ampliamento sulla sinistra, da un cartone di Michelangelo, di analoghe dimensioni, conservato dal 1895 al British Museum.
Nella famosa lettera del 17 marzo 1564, in cui Daniele da Volterra scriveva al Vasari degli ultimi giorni di vita di Michelangelo, venivano descritti i materiali rimasti nello studio romano dell'artista: tra i cartoni ne veniva ricordato uno "che dipigneva Ascanio", cioè il Condivi. Quanto al titolo *Epifania*, esso compare per la prima volta in un documento del 21 aprile 1564 relativo ai beni lasciati da Michelangelo, dove viene ricordato un "altero magno cartono in quo sunt designate tre figure magne et duo pueri, nuncupato Epifania".
Da tempo queste notizie sono state messe in rapporto con un passo della *Vita* giuntina di Michelangelo, in cui il Vasari scriveva così di Condivi: "Ascanio dalla Ripa Transone durava gran fatiche, ma mai non se ne vidde il frutto

vani acted as a go-between for the purchase. The composition derives, with some additions on the left, from a cartoon by Michelangelo, of similar size, that has been in the British Museum since 1895. In the famous letter of March 17, 1564, in which Daniele da Volterra wrote to Vasari about the last days of Michelangelo's life, the materials left in the artist's studio in Rome were described: among the cartoons was one "that Ascanio Condivi painted." As for the title Epiphany, *this appeared for the first time in a document dated April 21, 1564, relating to the property left by Michelangelo, which refers to an "altero magno cartono in quo sunt designate tre figure magne et duo pueri, nuncupato Epifania."*
For some time these pieces of information have been linked with a passage in the Giunti edition of the Life of Michelangelo, *in which Vasari says of Condivi: "Ascanio from Ripa*

né in opere né in disegni, e pestò parecchi anni intorno a una tavola, che Michelagnolo gli aveva dato un cartone; nel fine se n'è ito in fummo quella buona aspettazione che si credeva di lui, che mi ricordo che Michelagnolo gli veniva compassione sì dello stento suo, che l'aiutava di sua mano; ma giovò poco". Appare assai ragionevole che il dipinto di questo aneddoto vasariano sia da identificare con la tavola della Casa Buonarroti. Si tratta dunque di una delle pochissime opere conosciute del Condivi, noto soprattutto per la sua *Vita di Michelangelo*, pubblicata a Roma nel 1553. Il Condivi lasciò Roma prima della fine del 1554: se ne deduce che la tavola di Casa Buonarroti precede quella data. Quanto al cartone di Michelangelo, la datazione più convincente, per le affinità con gli affreschi della Cappella Paolina, è intorno al 1550, a ridosso quindi dell'esecuzione della versione dipinta e a conferma del racconto vasariano.

Nella tavola sono raffigurati otto personaggi adulti e due bambini: la figura femminile al centro è identificata con la Madonna e il bambino ai suoi piedi con il piccolo Gesù. Resta aperta alla discussione l'identità delle altre figure. Infatti, tra i numerosi problemi aperti dall'*Epifania* c'è anche quello del titolo, non più che convenzionale, e di una credibile identificazione iconografica: ancora tutta da verificare è la singolare ipotesi di Ernst Gombrich, che definisce il dipinto *Sacra Famiglia*, e vi ritiene raffigurati fratellastri e sorellastre di Gesù, nati da un matrimonio di Giuseppe precedente a quello con la Madonna.

Nel 1616, Michelangelo il Giovane decise di collocare in posizione d'onore, in testa alla Galleria, il dipinto del Condivi. Sistemato sopra la *Battaglia dei centauri* e creduto opera di Michelangelo (attribuzione che reggerà per secoli), esso stava a dimostrare, nell'organico programma decorativo, l'attività dell'artista come pittore. Nel luglio del 1616 la tavola fu presa in consegna da un falegname per un risanamento del supporto ligneo e fu poco dopo restaurata dal Passignano e dal suo allievo Ottavio Vannini.

Bibliografia: Ugo Procacci, *La Casa Buonarroti a Firenze*, Milano 1965, pp. 178-179; Adriaan W. Vliegenthart, *La Galleria Buonarroti*, Firenze 1976 (edizione originale Rotterdam 1969), pp. 67-69; Ernst H. Gombrich, *Michelangelo's Cartoon in the British Museum*, in *New Light on Old Masters*, Oxford 1986, pp. 171-178, 187.

Transone worked very hard indeed, but never produced results, either in the form of designs or finished works. Ascanio spent years on a picture for which Michelangelo provided the cartoon, and all in all the high expectations he aroused have gone up in smoke. I remember that Michelangelo, taking pity on Ascanio for his lack of facility, used to help him personally, but it was of little use." It seems perfectly reasonable to assume that the painting mentioned in Vasari's anecdote is in fact the picture in Casa Buonarroti. Thus it is one of the very few known works by Condivi, who is most famous for his Life of Michelangelo, *published in Rome in 1553. Condivi left Rome before the end of 1554: it can be deduced that the panel in Casa Buonarroti was painted before that date. As for Michelangelo's cartoon, the most convincing date, given the affinities with the frescoes in the Sistine Chapel, is around 1550 and therefore shortly before the execution of the painting, corroborating Vasari's account.*

The picture contains the figures of eight adults and two children: the female figure in the middle has been identified as the Madonna and the child at her feet as the Infant Jesus. The identity of the other figures remains open to discussion. In fact, the numerous problems raised by the Epiphany *include those of its title, which is no more than conventional, and a credible identification of the iconography: the unusual hypothesis put forward by Ernst Gombrich, who describes the painting as a* Holy Family *and claims that it represents Jesus's half-brothers and half-sisters, born to Joseph in an earlier marriage, is still awaiting verification.*

In 1616 Michelangelo the Younger decided to place Condivi's picture in a position of honor, at the head of the Galleria. Hung above the Battle of the Centaurs *and believed to be Michelangelo's own work (an attribution that was accepted for centuries), it served to represent, within the overall decorative program, the artist's activity as a painter. In July 1616 the panel was delivered to a joiner for the reinforcement of its wooden support and shortly afterward was restored by Passignano and his pupil Ottavio Vannini.*

Bibliography: *Ugo Procacci,* La Casa Buonarroti a Firenze, *Milan 1965, pp. 178-179; Adriaan W. Vliegenthart,* La Galleria Buonarroti, *Florence 1976 (original edition Rotterdam*

Artemisia Gentileschi
(Roma 1593 - Napoli 1652/1653)
L'Inclinazione
1615-1616 circa
tela, 152 × 61 cm
inv. 241

Artemisia, celebre figlia del grande pittore Orazio Gentileschi, partecipò alla decorazione della Galleria dipingendo un pannello con la personificazione dell'"Inclinazione". La tela fa parte delle allegorie che accompagnano, nel soffitto di questa sala, alcuni episodi della vita di Michelangelo. La Gentileschi era giunta a Firenze da Roma nel 1613, quando non si era ancora placato il clamore della violenza da lei subita a opera del pittore Agostino Tassi e del conseguente processo per stupro (1612).
Il dipinto di Artemisia fu uno dei primi della sala a essere commissionato, e già nel 1615 la pittrice riceveva un acconto di una certa entità. Michelangelo il Giovane nutriva una speciale simpatia per Artemisia, la cui opera fu pagata più del triplo delle altre della serie; probabilmente la generosità del committente era provocata dalle precarie condizioni economiche della pittrice, ormai sposata con Pietro Antonio Stiattesi e in stato di avanzata gravidanza. In una lettera conservata nell'Archivio Buonarroti, Artemisia si rivolge al suo committente con il termine di "compare", che lascia intendere una consuetudine ancora da chiarire. Resta documentazione di alcuni piccoli prestiti fatti all'artista da Michelangelo il Giovane, che infatti la registra tra i suoi debitori.
La figura femminile, che si è meritata recentemente la felice definizione di "nudo luminoso e carnale" (Cropper), tiene in mano una bussola, mentre sembra farle da guida una stella che brilla nel cielo azzurro. Secondo la *Descrizione buonarrotiana*, due piccole carrucole, oggi non più visibili, erano poste ai piedi della giovane. L'opera, eseguita dopo gli intensi anni trascorsi nella Roma del Caravaggio, spicca per il suo naturalismo fra le tele della serie: la bella donna, seducente allegoria che sfiora dall'alto il visitatore col suo sguardo sereno, era stata dipinta completamente nuda. Qualche decennio più tardi, un discendente di Michelangelo il Giovane fece ricoprire dal Volterrano la figura con un moralistico panneggio.

Bibliografia: Mary D. Garrard, *Artemisia Gentileschi. The Image of the Female Hero in Italian Baroque Art*, Princeton 1989, pp. 41-

1969), pp. 67-69; Ernst H. Gombrich, Michelangelo's Cartoon in the British Museum, *in* New Light on Old Masters, *Oxford 1986, pp. 171-178, 187.*

Artemisia Gentileschi
(Rome 1593 - Naples 1652/1653)
The Inclination
circa 1615-1616
canvas, 152 × 61 cm
inv. 241

Artemisia, celebrated daughter of the great artist Orazio Gentileschi, contributed to the decoration of the Galleria by painting a panel with a personification of Inclination. The canvas is one of the allegories accompanying the episodes from the life of Michelangelo painted on the ceiling of this room. Gentileschi had come to Florence from Rome in 1613, at a time when the sensation caused by the violence to which she had been subjected by the painter Agostino Tassi and his subsequent trial for rape (1612) had not yet died down.
Artemisia's painting was one of the first in the room to be commissioned, and the painter had received an advance payment of some size as early as 1615. Michelangelo the Younger had a particular fondness for Artemisia, whose work was paid at more than three times the rate of the others in the series. His generosity was probably due to the precarious financial state of the painter, now married to Pietro Antonio Stiattesi and at an advanced stage of pregnancy. In a letter conserved in the Archivio Buonarroti, Artemisia addresses her client as "compare," a term that can mean godfather, best man or just old friend and whose significance has yet to be clarified. There are records of several small loans made to the artist by Michelangelo the Younger and in fact he included her in his list of debtors.
The female figure, which has recently been aptly described as a "luminous and carnal nude" (Cropper), is holding a compass, while a star shining in the blue sky seems to be acting as her guide. The work, painted after the intense years spent in the Rome of Caravaggio, stands out from the other canvases in the series for its naturalism: the beautiful woman, a seductive allegory whose serene gaze passes over the heads of visitors, had been painted completely naked. According to the Descrizione buonarrotiana, *two small pul-*

45; Roberto Contini, in *Artemisia*, catalogo della mostra in Casa Buonarroti, a cura di Roberto Contini e Gianni Papi, Roma 1991, pp. 124-128, n. 11; Elisabeth Cropper, *Artemisia Gentileschi, la "pittora"*, in *Barocco al femminile*, a cura di Giulia Calvi, Roma-Bari 1992, pp. 191-218.

leys, no longer visible today, used to be set at the young woman's feet. A few decades later, a descendant of Michelangelo the Younger had the figure covered with moralistic drapery by Volterrano.

Bibliography: *Mary D. Garrard,* Artemisia Gentileschi. The Image of the Female Hero in Italian Baroque Art, *Princeton 1989, pp. 41-45; Roberto Contini, in* Artemisia, *catalogue of the exhibition in Casa Buonarroti, edited by Roberto Contini and Gianni Papi, Rome 1991, pp. 124-128, no. 11; Elisabeth Cropper,* Artemisia Gentileschi, la "pittora," *in* Barocco al femminile, *edited by Giulia Calvi, Rome-Bari 1992, pp. 191-218.*

Camera della notte e del dì

La decorazione di questa sala, destinata a protrarsi per anni, fu iniziata nel 1624. L'anno successivo Jacopo Vignali dipinse ad affresco, sul soffitto, il Padre Eterno che separa la luce dalle tenebre e le personificazioni della Notte e del dì, che danno il nome alla "camera", e, alla sommità delle pareti, un fregio in cui coppie di putti sorreggono stemmi di famiglie imparentate con i Buonarroti. I lavori ripresero qualche anno più tardi con la realizzazione dello "Scrittoio", entro il quale Michelangelo il Giovane era solito ritirarsi a studiare. La parte lignea di questo piccolo vano fu eseguita nel 1629 da Francesco da Sant'Andrea a Rovezzano, e le pitture da Baccio del Bianco, che contemporaneamente dipingeva, ad olio su muro, le aggraziate finte porte. La decorazione della stanza si concluse nel 1637-1638, con la raffigurazione di personaggi della famiglia Buonarroti e di eventi a essa legati, realizzati da vari artisti, tra i quali spicca Pietro da Cortona, che ritrasse Buonarroto creato conte palatino da papa Leone X.
Alle pareti si notano il capolavoro di Giovanni di Francesco, con le *Storie di san Nicola da Bari*; un *Cupido* marmoreo, cominciato da Valerio Cioli (1529-1599) e portato a termine da Andrea di Michelangelo Ferrucci (morto nel 1626); il ritratto di Michelangelo, eseguito da Giuliano Bugiardini (1475-1554), e quello di Michelangelo il Giovane, dipinto da Cristofano Allori (1577-1621). La testa bronzea di Michelangelo è opera di Daniele da Volterra.

Giovanni di Francesco
(Firenze 1428? - 1459)
Storie di San Nicola da Bari
1457 circa
tavola, 23 × 158 cm
inv. 68

Fonti cinquecentesche documentano che questa tavola era originariamente collocata come predella sotto l'*Annunciazione* di Donatello, nella Cappella Cavalcanti, nella chiesa di Santa Croce a Firenze: essa infatti si incastra perfettamente tra le due mensole che sorreggono alla base la scultura donatelliana.
Dell'arrivo della predella in Casa Buonarroti, avvenuto nel 1620, informa il Baldinucci (1681), ripetendo l'attribuzione vasariana dell'opera a Francesco Pesello: "Per la cappella de' Cavalcanti in Santa Croce, sotto la Nunziata di Donato, [Francesco Pesello] dipinse una

The decoration of this room, which dragged out for years, was commenced in 1624. The following year Jacopo Vignali frescoed the ceiling with the Eternal Father separating Light from Darkness and personifications of Night and Day, which give the "chamber" its name, and the upper part of the walls with a frieze in which pairs of putti hold coats of arms of families related to that of the Buonarroti. Work resumed several years later with the construction of the "Scrittoio," where Michelangelo the Younger used to retire to study. The wooden section of this small room was executed in 1629 by Francesco da Sant'Andrea a Rovezzano and the paintings by Baccio del Bianco, who at the same time painted the graceful mock doors on the walls in oil. The decoration of the room was completed in 1637-1638, with the depiction of members of the Buonarroti family and events connected with them by various artists, including Pietro da Cortona, who portrayed Buonarroto being made a count palatine by Pope Leo X.
On the walls are set Giovanni di Francesco's masterpiece, the Scenes from the Life of Saint Nicholas of Bari; *a marble* Cupid, *begun by Valerio Cioli (1529-1599) and finished by Andrea di Michelangelo Ferrucci (died in 1626); the portrait of Michelangelo painted by Giuliano Bugiardini (1475-1554); and the one of Michelangelo the Younger by Cristofano Allori (1577-1621). The bronze head of Michelangelo is the work of Daniele da Volterra.*

Giovanni di Francesco
(Florence 1428? - 1459)
Scenes from the Life of Saint Nicholas of Bari
circa 1457
panel, 23 × 158 cm
inv. 68

Sixteenth-century sources record that this panel was originally used as a predella beneath Donatello's Annunciation *in the Cavalcanti Chapel of the church of Santa Croce in Florence: in fact it fits perfectly between the two brackets that support Donatello's sculpture.*
We are told about the arrival of the predella in Casa Buonarroti, in 1620, by Baldinucci, who echoes Vasari's attribution of the work to Francesco Pesello: "For the chapel of the Ca-

predella con figure piccole di storie di san Niccolò. In processo di tempo questa predella d'altare si era di mala maniera scommessa; onde un sagrestano di quella chiesa ebbe per bene di farla rifare di nuovo in forma di grado d'altare; e a quello che fece la spesa, che fu Michelangelo di Lodovico Buonarroti, pronipote del gran Michelangelo Buonarroti, donò la tavola dove erano le dette storiette rappresentate, che da quel gentiluomo, singolarissimo amatore e non ordinariamente pratico di queste arti, fu adornata con ornamento d'oro e posta nella sua bella galleria, dove al presente si vede".

Su un'unica asse orizzontale vengono raffigurate tre storie di san Nicola da Bari. La scelta del santo può far supporre che committente del dipinto sia stato quello stesso Niccolò Cavalcanti che aveva commissionato l'*Annunciazione* donatelliana. Ma quest'ultima risale al principio degli anni trenta del Quattrocento, mentre la predella di Giovanni di Francesco è stata datata intorno alla seconda metà degli anni cinquanta.

Nella prima scena san Nicola, ancora giovane e laico, lancia nell'interno di una casa tre palle d'oro, come dote per le tre figlie di un nobile caduto in miseria; nella seconda, ormai vescovo, resuscita tre ragazzi messi in salamoia da un oste malvagio; nella terza giunge dal cielo a salvare tre giovani ingiustamente condannati a morte.

L'opera è da tempo riconosciuta momento paradigmatico della grande cultura prospettica quattrocentesca: non solo il capolavoro dell'autore, ma anche "uno dei più bei numeri del Quattrocento fiorentino", come si legge in un vecchio editoriale firmato da Roberto Longhi. Giovanni di Francesco rivela qui un modo di dipingere straordinariamente luminoso e terso: si inserisce infatti in quella felice corrente della pittura fiorentina che ha origine nelle sperimentazioni di Domenico Veneziano, caratterizzate da uno spiccato interesse per la prospettiva e per il colore, una linea che sta anche all'origine della pittura di Piero della Francesca. L'evidente derivazione della terza scena della predella di Giovanni di Francesco dalla *Battaglia di Eraclio e Cosroe* dipinta da Piero nel coro di San Francesco ad Arezzo conferisce inoltre al dipinto della Casa Buonarroti un ruolo importante per la datazione degli affreschi di Piero, che non possono essere stati conclusi dopo il settembre 1459, data di morte di Giovanni di Francesco.

valcanti family in Santa Croce, under Donato's Our Lady of the Annunciation, Francesco Pesello painted a predella with small scenes from the life of St. Nicholas. With the passing of time this altar predella had become badly damaged; for which reason a sacristan of that church thought that it should be remade in the form of an altar step; and to the person who paid for this, who was Michelangelo di Lodovico Buonarroti, great-nephew of the great Michelangelo Buonarroti, he gave the panel on which the said scenes were represented, which was adorned with gold ornamentation by that gentleman, an exceptional lover and no ordinary practitioner of these arts, and placed in his fine gallery, where it can now be seen."

Three scenes from the life of St. Nicholas of Bari are painted on a single horizontal board. The choice of saint suggests that the man who ordered the painting was the same Niccolò Cavalcanti who had commissioned the Annunciation *from Donatello. But the latter dates from the beginning of the 1430s, while Giovanni di Francesco's predella has been dated to somewhere around the second half of the 1450s.*

In the first scene St. Nicholas, still a young layman, throws three balls of gold into a house, to be used as dowry for the three daughters of a nobleman fallen on hard times; in the second, now a bishop, he resurrects three children killed and thrown into a brine tub by a wicked innkeeper; in the third he descends from heaven to save three young men unjustly condemned to death.

For some time now the work has been seen as paradigmatic of a particular stage in the development of perspective in the fifteenth century: it is not just the painter's masterpiece, but also "one of the finest products of the Florentine Quattrocento," as it is described in an old editorial written by Roberto Longhi. Here Giovanni di Francesco displays an extraordinarily luminous and limpid manner of painting: in fact it fits into that fertile current of Florentine art that originated in the experiments of Domenico Veneziano, characterized by a marked interest in perspective and color, and which also culminated in the work of Piero della Francesca. The obvious derivation of the third scene of Giovanni di Francesco's predella from the Battle between Heraclius and Chosroes *painted by Piero in the chancel of San Francesco at Arezzo also confers an important role on the picture in Casa Buonarroti for the dating of Piero's frescoes, which*

Bibliografia: Roberto Longhi, *Firenze diminuita*, in "Paragone" 203, 1967, p. 6; Luciano Bellosi, in *Pittura di luce. Giovanni di Francesco e l'arte fiorentina di metà Quattrocento*, catalogo della mostra in Casa Buonarroti, a cura di Luciano Bellosi, Milano 1990, pp. 11-17, 56-61, n. 5.

Daniele da Volterra
(Volterra 1509 - Roma 1566)
e **Giambologna**
(Douai 1529 - Firenze 1608)
Busto di Michelangelo
1564-1566 (la testa), 1570 circa (il petto)
bronzo, altezza 59 cm
(30 cm la testa, 29 cm il petto)
inv. 61

Alla morte di Michelangelo, nel 1564, Daniele da Volterra eseguì dalla maschera mortuaria un ritratto dell'artista, a cui l'aveva legato un'intensa amicizia. Quando, due anni dopo, Daniele morì, furono ritrovate nella sua bottega sei teste bronzee di Michelangelo. Due di esse, non ancora rinettate a dovere, erano destinate a Leonardo Buonarroti, nipote dell'artista.
Giunte a Firenze, di una di esse si persero ben presto le tracce, mentre l'altra fu provvista di un ricco panneggio, realizzato dal Giambologna. Il coinvolgimento del grande scultore fiammingo portò a riferire a lui, nella *Descrizione buonarrotiana*, l'intera opera. Leonardo Buonarroti la presentò nel 1767, attribuita proprio al Giambologna, alla mostra nel chiostro della Santissima Annunziata, dove le principali famiglie fiorentine esposero i loro tesori. La famiglia Buonarroti vi portò anche due opere di Michelangelo, un "bassorilievo di marmo" e una "testa di femmina disegnata a lapis nero" (la *Cleopatra*?), e la *Testa di vecchio* tradizionalmente attribuita a Guido Reni.
Il bronzo della Casa Buonarroti è considerato, sia per le vicende storiche sia per la qualità, uno degli esemplari maggiormente significativi del più celebre ritratto scultoreo di Michelangelo.

Bibliografia: Fabia Borroni Salvadori, *Le esposizioni d'arte a Firenze dal 1674 al 1767*, in "Mitteilungen des Kunsthistorischen Institutes in Florenz", XVIII, 1974, pp. 70, 90, 115, 140; Alessandro Cecchi, in *Ri-*

must have been finished before September 1459, the date of Giovanni di Francesco's death.

Bibliography: *Roberto Longhi,* Firenze diminuita, *in "Paragone" 203, 1967, p. 6; Luciano Bellosi, in* Pittura di luce. Giovanni di Francesco e l'arte fiorentina di metà Quattrocento, *catalogue of the exhibition in Casa Buonarroti, edited by Luciano Bellosi, Milan 1990, pp. 11-17, 56-61, no. 5.*

Daniele da Volterra
(Volterra 1509 - Rome 1566)
and **Giambologna**
(Douai 1529 - Florence 1608)
Bust of Michelangelo
1564-1566 (the head), circa 1570 (the breast)
bronze, height 59 cm (the head 30 cm,
the breast 29 cm)
inv. 61

On the death of Michelangelo, in 1564, his close friend Daniele da Volterra made a portrait of the artist from his death mask. When Daniele himself died, two years later, six bronze heads of Michelangelo were found in his workshop. Two of them, not yet properly cleaned, were sent to the artist's nephew, Leonardo Buonarroti, in Florence.
All trace was soon lost of one of these, while the other was provided with a rich drapery by Giambologna. The involvement of the great Flemish sculptor led to the entire work being attributed to him in the Descrizione buonarrotiana. *In 1767 Leonardo Buonarroti put the work on show, still attributed to Giambologna, at the exhibition in the cloister of the Santissima Annunziata, where the principal families of Florence used to display their treasures. The Buonarroti family also took there two works by Michelangelo, a "bas-relief in marble" and a "woman's head drawn in black pencil" (the* Cleopatra*?), as well as the* Head of an Old Man *traditionally attributed to Guido Reni.*
The bronze in Casa Buonarroti is considered, on the grounds of both its history and its quality, one of the most significant exemplars of this celebrated sculptural portrait of Michelangelo.

Bibliography: *Fabia Borroni Salvadori,* Le esposizioni d'arte a Firenze dal 1674 al 1767,

nascimento. Da Brunelleschi a Michelangelo-La rappresentazione dell'architettura, catalogo della mostra, a cura di Henry Millon e Vittorio Magnago Lampugnani, Milano 1994, pp. 658-659, n. 385; Eike D. Schmidt, in *Vittoria Colonna Dichterin und Muse Michelangelos*, catalogo della mostra a cura di Sylvia Ferino-Pagden, Wien 1997, pp. 314-316, n. IV. 1.

in "Mitteilungen des Kunsthistorischen Institutes in Florenz", vol. XVIII, 1974, pp. 70, 90, 115, 140; Alessandro Cecchi, in Rinascimento. Da Brunelleschi a Michelangelo-La rappresentazione dell'architettura, *exhibition catalogue, edited by Henry Millon and Vittorio Magnago Lampugnani, Milan 1994, pp. 658-659, no. 385; Eike D. Schmidt, in* Vittoria Colonna Dichterin und Muse Michelangelos, *exhibition catalogue edited by Sylvia Ferino-Pagden, Vienna 1997, pp. 314-316, no. IV. 1.*

Camera degli angioli

Questa sala fu usata come cappella a partire dal 1677. Gli affreschi alle pareti, eseguiti da Jacopo Vignali tra il 1622 e il 1623, rappresentano i santi e i beati della città e del contado di Firenze che, preceduti da Giovanni Battista, avanzano in processione dalla chiesa militante alla chiesa trionfante. Nell'interno della cupoletta e sul soffitto, affreschi di Michelangelo Cinganelli (1580 circa - 1635), con san Michele Arcangelo e gli angeli musicanti e osannanti che danno il nome alla stanza. Sopra la mensa dell'altare, eseguito nel 1627 da Francesco e Tommaso da Sant'Andrea a Rovezzano, si trova una tarsia di Benedetto Calenzuoli, su cartone di Pietro da Cortona, raffigurante la Madonna col Bambino. Sotto l'altare, il reliquiario di sant'Agata, donato da suor Innocenza Barberini a Michelangelo Buonarroti il Giovane il primo di marzo del 1638.
Nelle nicchie, su mensoloni secenteschi, il busto di Michelangelo il Giovane, capolavoro di Giuliano Finelli, e i ritratti di Cosimo Buonarroti e della moglie Rosina Vendramin, eseguiti da Aristodemo Costoli tra il 1850 e il 1857. Le altre nicchie ospitano un rilievo con *San Gerolamo* di Luca della Robbia il Giovane, una replica bronzea cinquecentesca della *Madonna della scala* di Michelangelo (il rilievo marmoreo è rimasto per secoli in questa stanza), e una *Testa di vecchio*, ritenuta alla fine del Seicento opera "bellissima di Guido Reni".

Giuliano Finelli
(Carrara 1601 -Roma 1657)
Ritratto di Michelangelo Buonarroti il Giovane
1630
marmo, altezza 87 cm
inv. 294

Michelangelo il Giovane fu ospite a Roma, dalla primavera del 1629 all'estate del 1630, di Carlo Barberini, fratello di Urbano VIII. Nell'ambiente della famiglia Barberini ebbe modo di apprezzare l'abilità ritrattistica di Giuliano Finelli, dimostrata ancor oggi dai pregevoli busti presenti in Palazzo Barberini. Nel corso di quel soggiorno, Michelangelo il Giovane verosimilmente commissionò questo suo ritratto, che fu eseguito a Roma, dal vivo, e pagato all'autore nel 1630. La deliziosa ape posata sotto il colletto, sul risvolto sinistro della giubba, è un evidente riferimento ai Barberini e testimonia ulteriormente gli stretti legami di Mi-

This room was used as a chapel from 1677 onward. The frescoes on the walls, painted by Jacopo Vignali between 1622 and 1623, represent the saints and the blessed of the city and territory of Florence advancing in procession, with John the Baptist at their head, from the church militant to the church triumphant. The inside of the cupola and the ceiling are decorated with frescoes by Michelangelo Cinganelli (circa 1580-1635) depicting St. Michael Archangel with angels playing music and singing hosannas, from which the room takes its name ("Chamber of the Angels"). Above the altar table, made by Francesco and Tommaso da Sant'Andrea in Rovezzano in 1627, is set an intarsia by Benedetto Calenzuoli, based on a cartoon by Pietro da Cortona and representing the Madonna and Child. Beneath the altar, the reliquary of St. Agatha, donated to Michelangelo Buonarroti the Younger by Sister Innocenza Barberini on March 1, 1638.
In the niches, on large seventeenth-century consoles, stand a bust of Michelangelo the Younger, the masterpiece of Giuliano Finelli, and portraits of Cosimo Buonarroti and his wife Rosina Vendramin, painted by Aristodemo Costoli between 1850 and 1857. The other niches house a relief of Saint Jerome *by Luca della Robbia the Younger, a sixteenth-century bronze copy of Michelangelo's* Madonna della scala *(for centuries the marble relief was on show in this room), and a* Head of an Old Man, *thought at the end of the seventeenth century to be a "very fine work by Guido Reni."*

Giuliano Finelli
(Carrara 1601 - Rome 1657)
Portrait of Michelangelo Buonarroti the Younger
1630
marble, height 87 cm
inv. 294

From the spring of 1629 to the summer of 1630, Michelangelo the Younger was the guest of Carlo Barberini, the brother of Urban VIII, in Rome. During his stay with the Barberini family, he was able to appreciate the skilled portraiture of Giuliano Finelli, whose fine busts can still be admired in Palazzo Barberini today. It is probable that it was at that time that Michelangelo the Younger commissioned this portrait, executed from life in Rome and

chelangelo il Giovane con questa importante famiglia romana, da cui ricevette in dono reliquie e oggetti antichi e moderni. Qui Finelli rivaleggia apertamente con i massimi risultati della ritrattistica berniniana: lo scultore toscano infatti era a quella data operoso all'interno della bottega di Gian Lorenzo Bernini, che gli affidava la realizzazione dei dettagli più virtuosistici delle sue invenzioni (soprattutto i particolari dei costumi: ricami, gioielli, bottoni...). La *Descrizione buonarrotiana* così registra a proposito di quest'opera, allora collocata nella quarta sala secentesca, detta "Studio": "In altro armadio, è una testa e busto di marmo di Michelagnolo il giovane, di mano di Giovanni [sic] Finelli da Carrara, allievo del Bernino, fatta con meravigliosa squisitezza; e 'l marmo lavorato come cera, potendosi dire che in Firenze non ci sia la compagna": un giudizio confermato tre secoli dopo da Antonia Nava Cellini, che definisce questo ritratto "uno dei busti più belli dell'epoca".

Bibliografia: Irving Lavin, *Duquesnoy's "Nano di Créqui" and Two Busts by Francesco Mochi*, in "The Art Bullettin", LII, 1970, p. 141, nota 66; Antonia Nava Cellini, *La scultura del Seicento*, Torino 1982, p. 90; Claudio Pizzorusso, *Domenico Pieratti*, in "Paragone", 429, 1985; *Scultura del '600 a Roma*, a cura di Andrea Bacchi, Milano 1996, pp. 805-807; Damian Dombrowski, *Giuliano Finelli. Bildhauer zwischen Neapel und Rom*, Münster, in corso di stampa.

paid for in 1630. The delightful bee set on the left-hand lapel of the jacket is an obvious reference to the Barberini and further evidence of the close ties between Michelangelo the Younger and this important Roman family, from whom he received gifts of reliquaries and ancient and modern objects. Here Finelli was openly vying with the greatest achievements of Berninian portraiture: in fact at that time the Tuscan sculptor was working in the studio of Gian Lorenzo Bernini, who entrusted him with the execution of the most demanding details of his works (especially of the costumes: embroidery, jewelry, buttons...).
This work, located at the time in the fourth seventeenth-century room known as the "Studio," is described in the Descrizione buonarrotiana *as follows: "In another cabinet, there is a marble head and bust of Michelangelo the Younger, made by Giovanni sic Finelli from Carrara, a pupil of Bernini, with marvelous refinement; and the marble is worked like wax, so that it can be said that it has no equal in Florence." A judgment confirmed three centuries later by Antonio Nava Cellini, who described this portrait as one of the most beautiful busts of the period."*

Bibliography: *Irving Lavin,* Duquesnoy's 'Nano di Créqui' and Two Busts by Francesco Mochi, *in "The Art Bulletin", LII, 1970, p. 141, note 66; Antonia Nava Cellini,* La scultura del Seicento, *Turin 1982, p. 90; Claudio Pizzorusso,* Domenico Pieratti, *in "Paragone", 429, 1985; Scultura del 1600 a Roma, edited by Andrea Bacchi, Milan 1996, pp. 805-807; Damian Dombrowski,* Giuliano Finelli. Bildhauer zwischen Neapel und Rom, *Münster, in corso di stampa.*

Benedetto Calenzuoli
from a cartoon by Pietro da Cortona
(Cortona 1596 - Rome 1669)
Madonna and Child
circa 1641-1642
wooden inlay, 68 × 106.5 cm
inv. 398

This fine intarsia, which has always been one of the pieces most admired by visitors to the Casa Buonarroti, is the frontal of a wooden altar carved by Francesco and Tommaso da Sant'Andrea in Rovezzano. Once again it is the Descrizione buonarrotiana, *dating from*

Benedetto Calenzuoli
su cartone di Pietro da Cortona
(Cortona 1596 - Roma 1669)
Madonna col Bambino
1641-1642 circa
tarsia lignea, 68 × 106,5 cm
inv. 398

Questa bella tarsia, che è da sempre uno dei pezzi più amati e ammirati dai visitatori della Casa Buonarroti, costituisce il dossale di un altare ligneo intagliato, eseguito nel 1627 da Francesco e Tommaso da Sant'Andrea a Rovezzano. È ancora la *Descrizione buonarrotiana*, verso la fine del Seicento, a fare i nomi di Pietro da Cortona e di Benedetto Calenzuoli in relazione a quest'opera. Il riferimento è ripreso qualche decennio dopo nella biografia di Pietro da Cortona stesa da Francesco Saverio Baldinucci. Il maestro di legname Benedetto Calenzuoli collaborò con Pietro da Cortona, in Casa Buonarroti, anche nella realizzazione dei battenti figurati di alcune porte, opere di decorazione singolare e preziosa, ancora in loco. Pietro da Cortona fu a lungo ospite della Casa Buonarroti: dalla fine di giugno all'ottobre del 1637, durante il suo primo soggiorno fiorentino dedicato alla decorazione ad affresco della Sala della Stufa in Palazzo Pitti, appena commissionatagli da Ferdinando II; e fu lo stesso Michelangelo il Giovane a ispirargli il tema da raffigurare, le quattro età dell'uomo, desunto dalle *Metamorfosi* di Ovidio. Ma anche durante il suo secondo e ben più lungo soggiorno fiorentino (1640-1647) Pietro da Cortona alloggiò in Casa Buonarroti. In segno di riconoscenza, l'artista donò al padrone di casa non solo i cartoni, oggi perduti, degli affreschi della Sala della Stufa, ma anche quelli per la tarsia e per le porte figurate, ed eseguì gratuitamente un dipinto murale nella Camera della notte e del dì. Infatti, tanto quest'ultima opera, quanto i cartoni per le tarsie non trovano riscontro nei diligentissimi "quadernucci" nei quali Michelangelo il Giovane appuntava le spese per i lavori di decorazione del palazzo di via Ghibellina.

Bibliografia: Adriaan W. Vliegenthart, *La Galleria Buonarroti. Michelangelo e Michelangelo il Giovane*, Firenze 1976 (edizione originale Rotterdam 1969), pp. 220-221; Roberto Contini, in *Pietro da Cortona per la sua terra. Da allievo a maestro*, catalogo della mostra, a cura di Roberto Contini, Milano 1997, p. 188.

around the end of the seventeenth century, that links the names of Pietro da Cortona and Benedetto Calenzuoli with this work. The attribution was repeated several decades later in the biography of Pietro da Cortona written by Francesco Saverio Baldinucci. The master joiner Benedetto Calenzuoli also collaborated with Pietro da Cortona on the realization of the figured leaves of some of the doors in Casa Buonarroti, unusual and precious works of decoration that are still in place today. Pietro da Cortona enjoyed the hospitality of Casa Buonarroti for a long time: from the end of June to October 1637, during his first stay in Florence devoted to the fresco decoration of the Sala della Stufa in Palazzo Pitti, which had just been commissioned from him by Ferdinando II. And it was Michelangelo the Younger himself who suggested the theme of this decoration to him, the Four Ages of Man, *drawn from Ovid's* Metamorphoses. *But even during the second and much longer period he spent in Florence (1640-1647), Pietro da Cortona stayed at Casa Buonarroti. As a token of his gratitude, the artist gave the owner of the house not just the cartoons of the frescoes in the Sala della Stufa, now lost, but also the ones for the intarsia and the figured doors, and even painted a mural in the* Camera della notte e del dì *at no charge. In fact, both this last work and the cartoons for the intarsias are not listed in the extremely detailed "notebooks" in which Michelangelo the Younger noted down his expenditure on the work of decorating the house on Via Ghibellina.*

Bibliography: *Adriaan W. Vliegenthart,* La Galleria Buonarroti. Michelangelo e Michelangelo il Giovane, *Florence 1976 (original edition Rotterdam 1969), pp. 220-221; Roberto Contini, in* Pietro da Cortona per la sua terra. Da allievo a maestro, *exhibition catalogue, edited by Roberto Contini, Milan 1997, p. 188.*

Studio

L'allestimento di questa stanza, ideato anch'esso da Michelangelo il Giovane, risale agli anni 1633-1637. Nel soffitto, Cecco Bravo dipinse la personificazione della Fama. Sulle pareti, lo stesso Cecco Bravo, Matteo Rosselli e Domenico Pugliani rappresentarono le effigi dei toscani illustri, riuniti per tipologie: di fronte alla porta d'ingresso, i poeti e gli scrittori; a sinistra gli astronomi, i matematici, i naviganti, i fisici, i medici, i semplicisti; a destra, gli oratori, i legisti, gli storici, gli umanisti; al di sopra della porta d'ingresso, i filosofi e i teologi.
Sotto gli affreschi corre una serie di armadi, con intarsi in avorio e in madreperla, raffiguranti festoni di frutta, fiori e foglie.
All'interno delle vetrine vengono evocati diversi registri del collezionismo della famiglia: dagli interessi naturalistici a quelli artistici.

Francesco Montelatici detto Cecco Bravo
(Firenze 1601 – Innsbruck 1661)
La Fama
1636
pittura murale, 248 × 283 cm
inv. 502

Cecco Bravo fu coinvolto da Michelangelo Buonarroti il Giovane, nel 1636, nella decorazione di questa sala, e cominciò a lavorare il 22 luglio di quell'anno al soffitto, "soprapagato", come si apprende dalle carte domestiche del committente. Il rapporto fra queste due personalità di gran temperamento fu però breve e burrascoso, probabilmente perché l'estro di Cecco Bravo mal si piegava alle minute prescrizioni del padrone di casa: i contrasti fra loro erano già cominciati meno di un mese dopo, cioè il 20 agosto. Durò poco la riconciliazione tra i due, promossa da un intermediario; infatti il nome di Cecco Bravo non appare più nelle carte buonarrotiane a partire dal 17 settembre. In questi due mesi il pittore riuscì a decorare l'intero soffitto, con una figura femminile sicuramente allegorica, circondata da putti alati, e intorno riquadri monocromi, assai gradevoli, raffiguranti stemmi della famiglia Buonarroti, simboli di virtù e storie di Ercole e di Atena. I lavori si interruppero dopo che Cecco aveva ritratto i poeti e gli scrittori su di una parete intera, e su metà di quella contigua gli astronomi, i matematici e i naviganti. Fra i toscani illustri raffigurati si distinguono Dante, Petrarca e Boccaccio da una parte e Galileo dall'altra.

The decoration of this room, also conceived by Michelangelo the Younger, dates from the years 1633-1637. On the ceiling, Cecco Bravo painted the personification of Fame. On the walls, Cecco Bravo again, Matteo Rosselli and Domenico Pugliani painted effigies of illustrious Tuscans, grouped into different categories: opposite the entrance, poets and writers; on the left, astronomers, mathematicians, seafarers, physicists, physicians and herbalists; on the right, orators, jurists, historians and humanists; above the entrance, philosophers and theologians.
Beneath the frescoes runs a row of cabinets, inlaid with festoons of fruit, flowers and leaves in ivory and mother of pearl.
The showcases contain examples of the diverse range of collecting interests shown by the family, covering areas from natural history to art.

Francesco Montelatici called Cecco Bravo
(Florence 1601 – Innsbruck 1661)
Fame
1636
wall painting, 248 × 283 cm
inv. 502

In 1636 Cecco Bravo was commissioned to decorate this room by Michelangelo Buonarroti the Younger. "Overpaid" according to the client's household records, he started work on July 22 of that year. However the relationship between these two highly temperamental personalities was a brief and stormy one, probably because Cecco Bravo's talents were ill-suited to the minute instructions provided by the master of the house: conflict between them arose less than a month later, on 20 August. Through the efforts of a go-between, they were reconciled, but this did not last long. In fact Cecco Bravo's name is not mentioned again in Buonarroti's papers after 17 September. During these two months the painter managed to decorate the whole ceiling with a clearly allegorical female figure surrounded by winged putti and framed by highly attractive monochrome panels depicting the coats of arms of the Buonarroti family, symbols of virtues and scenes from the myths of Hercules and Athena. The work was interrupted after Cecco had painted one entire wall with portraits of poets and writers and half of another with figures of astronomers, mathematicians

Si è molto discusso sull'identificazione dell'allegoria al centro del soffitto, tanto più che Michelangelo il Giovane parlava genericamente di una "bella donna che a virtù consiglia"; le ipotesi più verosimili si attestano intorno alla personificazione della Storia o della Fama, con una preferenza per quest'ultima da condividere. Tra l'altro in un monocromo, nei riquadri laterali del soffitto, spicca l'attributo più caratteristico della Fama, cioè le trombe.
Comunque, la testimonianza che rimane della breve permanenza di Cecco Bravo alle dipendenze di Michelangelo il Giovane è particolarmente luminosa, specialmente per quanto riguarda il soffitto dove campeggia *La Fama*, atteggiata in vesti e sembianze da fanciulla della campagna toscana. Chissà che non fosse proprio questa stravaganza iconografica, che tra l'altro poneva in mano alla giovane donna una innocente ghirlanda di ulivo e non le trombe, a compromettere senza rimedio un appena avviato rapporto di lavoro.

and navigators. Among the illustrious Florentines portrayed it is possible to recognize Dante, Petrarch and Boccaccio on one wall and Galileo on the other.
There has been much debate over the meaning of the allegory at the center of the ceiling, especially since Michelangelo the Younger described it vaguely as a "beautiful woman recommending virtue." The most credible hypotheses are that it is a personification of History or Fame, and there is a widely-shared preference for the latter among critics. This is supported by the fact that one of the monochromes in the side panels of the ceiling contains Fame's most characteristic attribute, trumpets.
In any case, the testimony that we have to Cecco Bravo's brief period of employment by Michelangelo the Younger is a particularly brilliant one, especially with regard to the figure of Fame *on the ceiling, looking like a girl from the Tuscan countryside. Who knows if*

Anna Barsanti propone di riconoscere una sorta di autoritratto fuor di regola di Cecco Bravo nella "testa in cui si intravedono appena gli occhi, un orecchio e il berretto color carnicino, mimetizzati da un drappo appoggiato alla balaustra del soffitto", sulla destra.

Bibliografia: Ugo Procacci, *La Casa Buonarroti a Firenze*, Milano 1965, pp. 17-18, 184-185; Isabella Bigazzi, *La stanza della Galleria Buonarroti dedicata da Michelangelo il Giovane alla fama dei toscani illustri*, in "Commentari", XXV, 1974, pp. 169-172; Anna Barsanti, *Alla scoperta di Cecco Bravo*, in *Cecco Bravo pittore senza regola*, catalogo della mostra in Casa Buonarroti, Milano 1999, pp. 22-28.

the dispute between painter and client did not arise over just this iconographic eccentricity, in which the young woman is even shown holding an innocent olive branch instead of the traditional trumpets?
Anna Barsanti claims to recognize a sort of unconventional self-portrait of Cecco Bravo in the "head, of which we glimpse just the eyes, one ear and the flesh-colored cap, camouflaged by a drape hanging from the balustrade of the ceiling," on the right.

Bibliography*: Ugo Procacci,* La Casa Buonarroti a Firenze, *Milan 1965, pp. 17-18, 184-185; Isabella Bigazzi,* La stanza della Galleria Buonarroti dedicata da Michelangelo il Giovane alla fama dei toscani illustri, *in "Commentari", XXV, 1974, pp. 169-172; Anna Barsanti,* Alla scoperta di Cecco Bravo, *in* Cecco Bravo pittore senza regola, *catalogue of the exhibition in Casa Buonarroti, Milan 1999, pp. 22-28.*

Stanzino dell'Apollo

In questo piccolo ambiente Michelangelo il Giovane aveva assiepato un nutrito gruppo di opere di soggetto classico, anche se non sempre antiche. Facevano parte dell'arredo originario i pezzi che attualmente vi sono esposti: un pregevole fregio ligneo dell'inizio del XVI secolo, recentemente attribuito a Baccio D'Agnolo; un braccio marmoreo, riferibile a una replica romana del *Discobolo* di Mirone; un ovale di marmo nero con due teste, dono di Costanza Barberini a Michelangelo il Giovane, e un "Apollino" di marmo.

In this small room Michelangelo the Younger had assembled a substantial group of works with classical subjects, though not always of ancient origin. The pieces now on show formed part of the original furnishings: a fine wooden frieze from the beginning of the sixteenth century, recently attributed to Baccio d'Agnolo; an arm carved from marble, probably from a Roman copy of Myron's Discobolus; *an oval of black marble with two heads, given to Michelangelo the Younger by Costanza Barberini, and a "small Apollo" in marble.*

Copia del braccio destro del Discobolo di Mirone
I secolo d.C.
marmo, lunghezza 56 cm
inv. 18

La prima menzione di questo reperto si trova nella *Descrizione buonarrotiana*: "Nel ricettino ed ultima stanza [...] vi è un braccio antico di marmo, in atto di tirare un disco, ed è meravigliosamente fatto, scorgendosi in esso fino i muscoli e le vene". Nel "ricettino", cioè nello Stanzino dell'Apollo, il braccio rimase almeno fino alla fine del Settecento, e qui di recente è stato ricollocato. Ma nella seconda metà del secolo scorso è documentato accanto ai rilievi giovanili di Michelangelo, con la classificazione di "greca scultura".
All'inizio del nostro secolo Giulio Emanuele Rizzo riconobbe in esso una copia romana dell'originale di Mirone secondo lo studioso avvicinabile all'esemplare frammentario rinvenuto

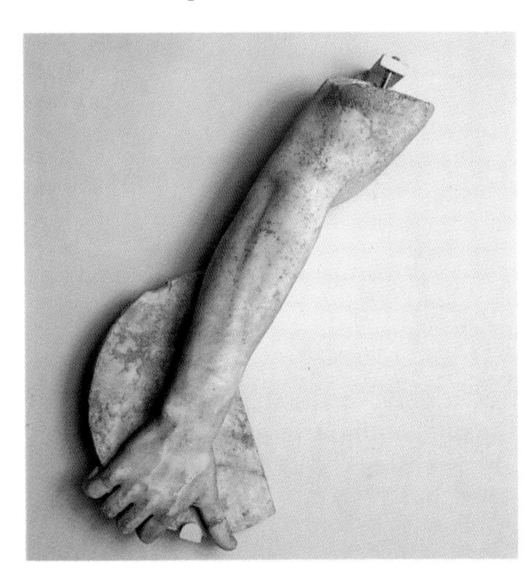

Copy of the right arm of Myron's Discobolus
1st century aD
marble, length 56 cm
inv. 18

The first mention of this archeological find is in the Descrizione buonarrotiana: *"In the repository and last room ... there is an antique marble arm, in the act of throwing a discus, and it is marvelously made, with even the muscles and veins visible." The arm remained in the "repository," i.e. the Stanzino dell'Apollo, at least until the end of the eighteenth century, and was recently replaced there. In the second half of the nineteenth century, however, it is recorded as being on display alongside the youthful works of Michelangelo, classified as "Greek sculpture."*
At the beginning of the twentieth century, Giulio Emanuele Rizzo identified it as a Roman copy of Myron's original, which the scholar related to the fragmentary example found at the Villa Reale in Castelporziano in 1906 and then taken to the Museo Nazionale Romano. In the reconstruction of the Discobolus *that he made for the Museo dei Gessi at Rome University, Rizzo joined the plaster cast of the Buonarroti arm onto that of the statue from Castelporziano.*
The arm in Casa Buonarroti has been identified with the one that was part of the Medicean collections in Palazzo Pitti in the second half of the sixteenth century: the inventory of the Medicean Guardaroba taken in 1574 records "a marble arm known as the discus, on which is written Francesco da San Gallo." As there is no further mention of this marble in the Medicean inventories, it can be assumed that the arm with a discus was transferred to Casa Buonarroti in 1617, along

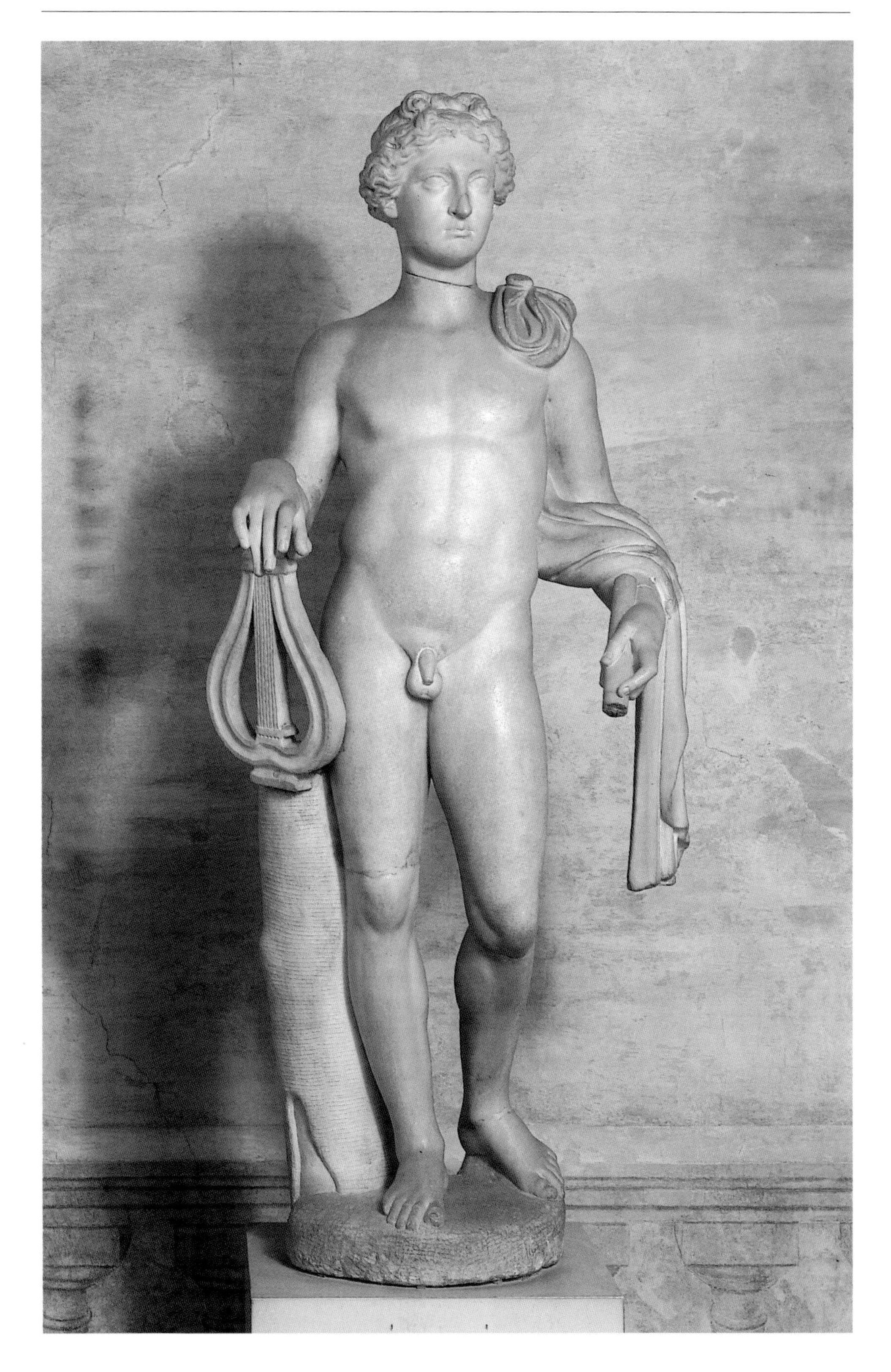

nel 1906 nella villa Reale di Castelporziano, e trasportato poi al Museo Nazionale Romano. Nella ricostruzione del *Discobolo* da lui realizzata per il Museo dei Gessi dell'Università di Roma, il Rizzo unì il calco in gesso del braccio Buonarroti a quello della statua di Castelporziano.
Il braccio della Casa Buonarroti è stato identificato con quello che faceva parte, nella seconda metà del Cinquecento, delle collezioni medicee di Palazzo Pitti: infatti nell'inventario del 1574 della Guardaroba medicea è ricordato "un braccio di marmo chiamato il disco, dove è scritto Francesco da San Gallo". Non trovandosi più in seguito la menzione di questo marmo negli inventari medicei, si può ipotizzare che il braccio con disco fosse passato nel 1617 in Casa Buonarroti, insieme con i disegni michelangioleschi e con la *Madonna della scala*, restituiti da Cosimo II a Michelangelo il Giovane quando stava allestendo le sale monumentali del palazzo di via Ghibellina.
La freschezza e la qualità dell'esecuzione hanno fatto datare spesso questo esemplare alla prima età imperiale.

Bibliografia: Stefano Corsi, in *Casa Buonarroti. La collezione archeologica*, a cura di Stefano Corsi, Milano 1997, pp. 32-33, n. 5.

Apollo
I secolo d.C.
marmo, altezza 110 cm
inv. 514

L'opera fu acquistata a Roma nel 1620 da Domenico Fedini, canonico di Santa Maria Maggiore, per conto di Michelangelo il Giovane, e nel 1624 restaurata con integrazioni dallo scultore Francesco Stati. La *Descrizione buonarrotiana* la ricorda come "un Apollo di marmo, di cui il torso è antico, il resto supplito moderno", e la colloca nel "ricettino" o "Stanzino dell'Apollo", dove è tornata negli anni settanta del nostro secolo. Il torso poggia sulla gamba destra, mentre quella sinistra è flessa e leggermente arretrata. Nella mano sinistra si vede un frammento di caduceo, il che fa pensare che in origine il torso facesse parte di un Hermes. Probabile una sua datazione alla prima età imperiale.

Bibliografia: Stefano Corsi, in *Casa Buonarroti. La collezione archeologica*, a cura di Stefano Corsi, Milano 1997, pp. 26-27, n.1.

with Michelangelo's drawings and the Madonna della scala, *given back to Michelangelo the Younger by Cosimo II at the time when the former was decorating the commemorative rooms in the house on Via Ghibellina.*
The freshness and quality of the workmanship have often prompted historians to date the piece to the early imperial age.

Bibliography*: Stefano Corsi, in* Casa Buonarroti. La collezione archeologica, *edited by Stefano Corsi, Milan 1997, pp. 32-33, no. 5.*

Apollo
1st century aD
marble, height 110 cm
inv. 514

The work was acquired in Rome in 1620 by Domenico Fedini, canon of Santa Maria Maggiore, on behalf of Michelangelo the Younger, and restored and reintegrated by the sculptor Francesco Sati in 1624. The Descrizione Buonarrotiana *describes it as "an Apollo of marble, of which the torso is antique, the rest a modern addition," and locates it in the "repository" or "Stanzino dell'Apollo," where it returned in the 1970s.*
The torso rests on the right leg, while the left one is bent and set slightly backward. In the left hand can be seen part of a caduceus, suggesting that the statue was originally a Hermes. It probably dates from the early imperial era.

Bibliography*: Stefano Corsi, in* Casa Buonarroti. La collezione archeologica, *edited by Stefano Corsi, Milan 1997, pp. 26-7, no. 1.*

Bozzetti michelangioleschi

Si espone in questa sala l'importante raccolta di bozzetti michelangioleschi della Casa Buonarroti. Queste opere, realizzate con materiali diversi costituiscono tuttora un arduo problema critico e attributivo. Oltre ai *Due lottatori*, di sicura autografia, è di grande interesse il *Modello di un giovane nudo*, calco in cera di un bozzetto perduto di Michelangelo, che fu molto apprezzato dai contemporanei dell'artista.

In this room is displayed Casa Buonarroti's important collection of models for Michelangelo's works. These models still pose considerable problems of attribution. In addition to the Two Wrestlers, *undoubtedly Michelangelo's own work, the* Model of a Nude Youth, *a wax impression of a lost model by Michelangelo, is of great interest and was highly appreciated by the artist's contemporaries.*

Michelangelo Buonarroti
Due lottatori
1530 circa
terracotta, altezza 41 cm
inv. 192

Michelangelo Buonarroti
Two Wrestlers
circa 1530
terracotta, height 41 cm
inv. 192

Il bozzetto si presenta nella forma attuale a seguito della ricomposizione effettuata nel 1926, secondo il progetto di Johannes Wilde, che dimostrò anche l'impossibilità di collegare l'opera con la commissione medicea a Michelangelo per una grande scultura raffigurante Ercole e Caco, che doveva affiancare il *David* davanti a Palazzo Vecchio. Di questa tormentata commissione si trovano tracce documentarie a partire dal 1506; ma nel 1525, quando si riprese a parlare concretamente del progetto, fu interpellato Baccio Bandinelli. Dopo la cacciata dei Medici, la Repubblica fiorentina diede di nuovo incarico a Michelangelo, nell'agosto del 1528, di scolpire le due figure, ma l'artista ben presto mutò soggetto, dando preferenza al tema Sansone e i filistei. Con la fine della Repubblica e il ritorno dei Medici, la commissione fu assegnata definitivamente al Bandinelli, che terminò nel 1534 il suo colossale *Ercole e Caco*. Per il bozzetto di Casa Buonarroti lo stesso Wilde proponeva invece un rapporto con la tomba di Giulio II, considerandolo uno studio per un gruppo allegorico che avrebbe dovuto fare da pendant alla Vittoria, scolpita probabilmente tra il 1527 e il 1530 e attualmente esposta nel Salone dei Cinquecento in Palazzo Vecchio a Firenze.

The present state of the model is the result of the reassembling carried out in 1926 under the supervision of Johannes Wilde, who demonstrated the impossibility of connecting the model in Casa Buonarroti with the Medicean commission to Michelangelo for a large statue of Hercules and Cacus, to be set up alongside the David *in front of Palazzo Vecchio. Documentation of this commission can be found from 1506 onward, but when the project was taken up seriously again in 1525, the task was given to Baccio Bandinelli. After the expulsion of the Medici, the Florentine Republic, in August 1528, asked Michelangelo to carve the two figures, but the artist soon changed the subject, preferring the theme of Samson and the Philistines. With the fall of the republic and the return of the Medici family, the commission was assigned definitively to Bandinelli, who completed his colossal* Hercules and Cacus *in 1534. For the Casa Buonarroti model, Wilde proposed that it was intended for the tomb of Julius II, considering it a study for an allegorical group that was to form a companion to the Victory, probably carved between 1527 and 1530 and now located in the Salone dei Cinquecento of Palazzo Vecchio in Florence.*

Bibliografia: Johannes Wilde, *Due modelli di Michelangelo ricomposti*, in "Dedalo", VIII, 1928, pp. 653-666; Giorgio Vasari, *La vita di Michelangelo nelle redazioni del 1550 e del 1568*, a cura di Paola Barocchi, III, Milano-Napoli 1962, pp. 1079-1088; Eike D. Schmidt, *Die Uberlieferung von Michelangelos verlorenem Samson-Modell*, in "Mitteilungen des Kunsthistorischen Institutes in Florenz", XL, 1996, pp. 98-100.

Bibliography: *Johannes Wilde,* Due modelli di Michelangelo ricomposti, *in "Dedalo", VIII, 1928, pp. 653-666; Giorgio Vasari,* La vita di Michelangelo nelle redazioni del 1550 e del 1568, *edited by Paola Barocchi, vol. III, Milan-Naples 1962, pp. 1079-1088; Eike D. Schmidt,* Die Uberlieferung von Michelangelos verlorenem Samson-Modell, *in "Mitteilungen des Kunsthistorischen Institutes in Florenz", XL, 1996, pp. 98-100.*

Noli me tangere

La composizione dei due dipinti qui esposti, uno attribuito al pontormo, l'altro di Battista Franco, giunti in Casa Buonarroti nel 1932 dalle Gallerie fiorentine, deriva da un cartone perduto di Michelangelo, eseguito nel 1531, che raffigurava Cristo risorto che appare alla Maddalena. Il cartone fu tradotto in pittura dal Pontormo, per suggerimento dello stesso Michelangelo; passato nelle collezioni medicee, venne utilizzato anche da Battista Franco (1537), che riprodusse nello sfondo il paesaggio della stampa con sant'Eustachio di Albrecht Dürer.

The composition of the two paintings on show here, one ottributed to Pontormo and the other to Battista Franco, which were transferred to Casa Buonarroti from the Florentine Galleries in 1932, derives from a lost cartoon by Michelangelo, executed in 1531, which depicted the risen Christ appearing to the Magdalene. The cartoon was made into a painting by Pontormo at the suggestion of Michelangelo himself. Entering the Medici collections, it was used again by Battista Franco (1537), who reproduced the landscape of Albrecht Dürer's print of Saint Eustace *in the background.*

Jacopo Carucci detto Pontormo (?)
(Pontorme 1494 - Firenze 1557)
Noli me tangere (da Michelangelo)
1532 circa
tavola, 172 × 134 cm
inv. Gallerie 1890, n. 6307

Jacopo Carucci called Pontormo (?)
(Pontorme 1494 - Florence 1557)
Noli me tangere *(after Michelangelo)*
circa *1532*
panel, 172 × 134 cm
inv. Gallerie 1890, no. 6307

L'opera deriva da un cartone, perduto, di Michelangelo eseguito a Firenze nel 1531 e raffigurante "un Cristo che appare alla Maddalena nell'orto"; si conoscono soltanto due studi preparatori per la figura del Cristo di questa composizione, attualmente in Casa Buonarroti (inv. 62 F e Archivio Buonarroti, I, 74, 203 verso).
Il cartone venne tradotto immediatamente in pittura da Pontormo, per suggerimento dello stesso Michelangelo che seguì da vicino il lavoro, svoltosi nella sua stessa abitazione. Cartone e dipinto erano stati commissionati, tramite la mediazione dell'arcivescovo di Capua Nicholas von Schomberg, da Alfonso d'Avalos, marchese del Vasto e generale di Carlo V, per conto della zia Vittoria Colonna, marchesa di Pescara e vedova di Francesco Ferrante d'Avalos, morto nel 1525 nella battaglia di Pavia. A questo primo contatto per interposta persona tra Michelangelo e Vittoria doveva seguire tre anni dopo, a Roma, la conoscenza diretta.
La scelta del tema rappresentato nell'opera va senza dubbio riferita a Vittoria Colonna: la poetessa aveva infatti per la Maddalena una predilezione che trovava probabilmente origine nella sua personale vicenda biografica, quasi che essa in qualche modo identificasse con la redenzione del personaggio evangelico il proprio abbandono della vita mondana conseguente allo stato vedovile. Da ricordare che in quello stesso anno 1531 Vittoria aveva commissionato un altro dipinto sullo stesso tema: il 5 marzo aveva infatti fatto chiedere a Tiziano,

The work is based on a cartoon, now lost, drawn by Michelangelo in 1531 and representing "A Christ appearing to the Magdalene in the garden." Only two preparatory studies for the figure of Christ in this composition are known, both of them now in Casa Buonarroti (inv. 62 F and Archivio Buonarroti, I, 74, 203 verso). Pontormo immediately made a painting from the cartoon, at the suggestion of Michelangelo himself, who was able to follow the work closely as it was done in his own house. The cartoon and painting had been commissioned, through the mediation of the archbishop of Capua, Nicholas von Schomberg, by Alfonso d'Avalos, marchese of the Vasto and a general in Charles V's army, on behalf of his aunt Vittoria Colonna, marchesa of Pescara and widow of Francesco Ferrante d'Avalos, who was killed at the battle of Pavia in 1525. This first contact between Michelangelo and Vittoria through an intermediary was to be followed by their meeting face to face, three years later, in Rome. The choice of the subject represented in the work should undoubtedly be ascribed to Vittoria Colonna: in fact the poetess had a fondness for Mary Magdalene that may well have derived from her personal experience, as if she identified to some extent her own abandonment of worldly life following her widowhood with the redemption of the woman in the Gospels. It should be pointed out that in the same year of 1531, Vittoria had commissioned another

tramite Federico Gonzaga, di dipingere per lei una *Maddalena* "lacrimosa più che si può", opera già terminata dal pittore poco più di un mese dopo e spesso identificata con la celebre tavola di Palazzo Pitti. Inoltre, Vittoria era attivamente impegnata a sostenere la Casa delle Convertite di Roma, destinata ad accogliere le prostitute che volevano redimersi senza prendere il velo monacale; nei suoi scritti sono frequenti le allusioni alla Maddalena.
Il dipinto eseguito per Vittoria Colonna è conservato in collezione privata a Busto Arsizio, e corrisponde alla testimonianza delle fonti sia per l'alta qualità, sia per il "colorito" pontormesco, sia, soprattutto, per le misure (cm 124 × 95), che ben si adattano alle dimensioni ridotte richieste dal committente.
Nella *Vita* del Pontormo Vasari racconta che il pittore replicò il dipinto per Alessandro Vitelli, signore di Città di Castello e allora a Firenze come capitano delle truppe imperiali. È stato proposto di riconoscere questa versione, di maggiori dimensioni rispetto all'opera per Vittoria Colonna, ma con un rapporto pressoché identico fra altezza e larghezza, nella tavola della Casa Buonarroti, la cui più antica menzione fiorentina risale al 1666, quando passò dalla collezione del cardinale Carlo dei Medici alle raccolte granducali. Sull'identità dell'autore effettivo di quest'opera la discussione resta aperta: ci si chiede infatti se si tratti di Pontormo, come riporta l'inventario del 1666 e come sostiene Luciano Berti, che fin dal 1973 assegnava a Jacopo "l'invenzione del bellissimo quanto malinconico paesaggio"; o se si debba riconoscervi la mano del suo allievo Bronzino, come voleva Roberto Longhi e come pensa, tra gli altri, Michael Hirst, autore del più importante contributo su questo soggetto.

Bibliografia: Luciano Bellosi, *Note brevi alle illustrazioni*, in "Paragone", 203, 1967, p. 89, tavv. 42 e 43; Luciano Berti, *Pontormo e il suo tempo*, Firenze 1993, pp. 258 e 260; Philippe Costamagna, *Pontormo*, Milano 1994, pp. 82-85, 215-217, n. 69; Michael Hirst e Gudula Mayr, *Michelangelo, Pontormo und das "Noli me tangere" für Vittoria Colonna*, in *Vittoria Colonna Dichterin und Muse Michelangelos*, catalogo della mostra, a cura di Sylvia Ferino-Pagden, Vienna-Milano 1997, pp. 335-344.

painting on this theme: on March 5 she had asked Titian, with Federico Gonzaga acting as a go-between, to paint for her a Magdalene *"as pitiful as possible." The painter had already finished the picture just over a month later and it has often been identified with the celebrated panel in Palazzo Pitti. In addition, Vittoria was actively engaged in supporting the Casa delle Convertite in Rome, an institution that took in prostitutes who wanted to redeem themselves without taking the veil as nuns. There are frequent allusions to the Magdalene in her writings. The picture painted for Vittoria Colonna is now in a private collection at Busto Arsizio, and matches the descriptions in the sources by its high quality, its "coloring" typical of Pontormo and, above all, its measurements (124 × 95 cm), which correspond to the small dimensions requested by the client. In his* Life *of Pontormo, Vasari states that the artist made a replica of the painting for Alessandro Vitelli, ruler of Città di Castello and stationed in Florence at the time as leader of the imperial troops. It has been proposed that this version, of larger size than the picture for Vittoria Colonna but with an almost identical ratio of height to length, is in fact the one in Casa Buonarroti, whose presence in Florence was mentioned for the first time in 1666, when it was transferred from the collection of Cardinal Carlo dei Medici to the grand-ducal collections. The question of the actual author of this work remains open: some critics have wondered whether it was really painted by Pontormo, as is stated in the inventory of 1666 and claimed by Luciano Berti, who in 1973 ascribed "the invention of the extremely beautiful as well as melancholy landscape" to Jacopo, or should instead be seen as the work of his pupil Bronzino, as Roberto Longhi argued and is believed by, among others, Michael Hirst, the author of the most important essay on this subject.*

Bibliography: *Luciano Bellosi,* Note brevi alle illustrazioni, *in "Paragone", 203, 1967, p. 89, pls. 42 and 43; Luciano Berti,* Pontormo e il suo tempo, *Florence 1993, pp. 258 and 260; Philippe Costamagna,* Pontormo, *Milan 1994, pp. 82-85, 215-217, no. 69; Michael Hirst and Gudula Mayr,* Michelangelo, Pontormo und das 'Noli me tangere' für Vittoria Colonna," *in* Vittoria Colonna Dichterin und Muse Michelangelos, *exhibition catalogue, edited by Sylvia Ferino-Pagden, Vienna-Milan 1997, pp. 335-344.*

Stanza dei paesaggi

Un inventario del 1799 ricorda il "secondo salotto dipinto, contiguo alla Camera con caminetto": si tratta di questa stanza e dei paesaggi settecenteschi che adornano tre delle sue pareti. Scomparsi sotto una scialbatura nel corso del XIX secolo, gli affreschi furono recuperati in occasione dei restauri a cui fu sottoposta la Casa Buonarroti nel 1964. Attualmente questo piacevole ambiente viene utilizzato per la visione del video *La Casa Buonarroti a Firenze*, realizzato nel 1994 da Claudio Pizzorusso. Il video è il primo numero della serie "Musei della Toscana", edita dall'Università per Stranieri di Siena.

An inventory taken in 1799 mentions the "second painted drawing room, adjoining the Chamber with fireplace": the reference was to this room and the eighteenth-century landscapes that adorn three of its walls. Covered with whitewash in the nineteenth century, the frescoes were brought back to light during the restoration work carried out in Casa Buonarroti in 1964. At present this pleasant room is used to screen the video La Casa Buonarroti a Firenze, *made by Claudio Pizzorusso in 1994. The video is the first in the series on the "Museums of Tuscany" produced by the Università per Stranieri in Siena.*

Michelangelo nell'Ottocento e il centenario del 1875

Su Michelangelo e l'Ottocento la Casa Buonarroti conserva una vasta documentazione, testimonianze significative e pregevoli oggetti d'arte, in parte riuniti in queste due sale, e riferibili sia al mito che il secolo scorso costruì variamente intorno all'artista, sia alle celebrazioni fiorentine del settembre 1875, per il quarto centenario della sua nascita. I busti in gesso qui presenti giunsero nel palazzo proprio per quella occasione, con lo scopo dichiarato di abbellirne l'atrio. La Casa Buonarroti, costituita in Ente morale nell'aprile del 1859, partecipò con fervore alle celebrazioni: si inserì sul portone d'ingresso il busto bronzeo di Michelangelo, opera di Clemente Papi, si pose lo stemma di famiglia sull'angolo del palazzo, si esposero tutti i disegni michelangioleschi della Collezione della Casa; si collocò infine nel Cortile la grande aquila in pietra, ritenuta allora d'età romana, che ora campeggia al centro della saletta contigua. Ma il progetto più ambizioso, la decorazione a graffito della facciata, non poté essere attuato, e ne vediamo qui l'accurato disegno preparatorio, donato alla Casa dagli stessi autori.

Cesare Zocchi
(Firenze 1851 - Torino 1922)
Michelangelo fanciullo scolpisce la testa del Fauno
fine del XIX secolo
marmo, altezza 79 cm
inv. 695

La scultura, donata alla Casa Buonarroti dalle Edizioni Cremonese nel 1989, reca sulla base, oltre all'iscrizione "Michelangiolo", la firma del suo autore, ma non è datata. L'opera, inedita fino al suo ingresso in Casa Buonarroti, testimonia la fortuna di un soggetto più volte replicato nella bottega degli Zocchi, e qui narrato con quella speciale grazia e rifinitura che da una parte si rifaceva all'agiografia degli uomini illustri e dall'altra agiva a gara con i continui progressi dell'arte fotografica (si noti per esempio la calligrafica riproduzione dei vari tessuti indossati dal fanciullo).
Cesare Zocchi, scultore di monumenti sparsi per l'Italia a cavallo tra Ottocento e Novecento, raffigura qui un celebre episodio dell'adolescenza di Michelangelo, narrato nelle *Vite* del Vasari e del Condivi ed effigiato in un affresco di Ottavio Vannini nella Sala di Giovanni da San Giovanni in Palazzo Pitti: l'artista fanciul-

The Casa Buonarroti houses a vast range of documentation on Michelangelo and the nineteenth century, made up of significant testimonies and works of artistic value, some of which are assembled in these two rooms, relating both to the myth that grew up around the artist in that century and to the celebrations staged in Florence in September 1875 to mark the fourth centenary of his birth. The plaster busts were brought to the house for that occasion, with the declared intent of embellishing its entrance hall. The Casa Buonarroti, which had been made a body corporate in April 1859, played an enthusiastic part in the celebrations: the bronze bust of Michelangelo made by Clemente Papi was installed over the entrance, the family's coat of arms set on the corner of the building and all the drawings by Michelangelo in the collection of the Casa Buonarroti put on show. Finally the great stone eagle, believed at the time to date from the Roman era, which now stands in the middle of the adjoining small room, was set up in the courtyard. But the most ambitious project, the graffito decoration of the facade, proved impossible to carry out. Here we can see its detailed preparatory drawing, donated to the Casa by its authors.

Cesare Zocchi
(Florence 1851 - Turin 1922)
The Boy Michelangelo carving the Head of the Faun
end of nineteenth century,
marble, height 79 cm
inv. 695

The sculpture, donated to the Casa Buonarroti by the publishing house Edizioni Cremonesi in 1989, bears the signature of its author on the base, in addition to the inscription "Michelangiolo," but is not dated. The work, un-known prior to its entry into Casa Buonarroti, testifies to the popularity of a subject that was repeated several times by the workshop of the Zocchi family. Here it is handled with a special grace and polish that derived on the one hand from the hagiography of illustrious men and on the other from the effort to rival the continual advances in the art of photography (note for example the meticulous reproduction of the various pieces of cloth that make up the boy's clothing).
Here Cesare Zocchi, a sculptor of monuments

MICHELANGIOLO

lo, nel giardino di San Marco, scolpisce una testa di fauno a imitazione di un marmo antico e in questa occasione viene notato da Lorenzo il Magnifico. La maschera di fauno che compare nell'opera dello Zocchi riproduce quella conservata un tempo alla Galleria degli Uffizi e ritenuta la più antica opera di Michelangelo. La maschera, già citata dal Baldinucci nelle collezioni degli Uffizi come opera di Michelangelo, fu sottratta definitivamente al catalogo dell'artista dagli studi di Hermann Grimm (1860); trasferita al Museo del Bargello, andò dispersa durante la seconda guerra mondiale.
La più nota raffigurazione di questo soggetto è quella fornita dal cugino di Cesare Zocchi, Emilio, che la replicò in numerosi esemplari a partire dal principio degli anni sessanta dell'Ottocento. Uno di questi esemplari, in marmo, è conservato alla Galleria Palatina di Palazzo Pitti.

Bibliografia: Carlo Sisi, in *Michelangelo nell'Ottocento-Il centenario del 1875*, catalogo della mostra in Casa Buonarroti, a cura di Stefano Corsi, Milano 1994, pp. 70-72, n. 61.

Modello del carro per il trasporto del *David* da piazza della Signoria all'Accademia
1873
legno, 47 × 34,5 × 34,7 cm
inv. 698

Il "traslocamento" del *David* da piazza della Signoria all'Accademia di Belle Arti avvenne tra il 31 luglio e il 4 agosto del 1873, utilizzando il carro ideato dagli ingegneri Porra e Poggi, del quale la Casa Buonarroti possiede questo accurato modello originale. La statua fu sistemata all'interno del carro in posizione verticale, con la parte inferiore racchiusa in una cassa di legno assicurata alla base, alle ginocchia e alla parte superiore delle gambe; forti molle spirali in acciaio furono collocate nell'apparato di sospensione, per evitare le scosse; il carro si muoveva su rotaie, con apposito piano girante per affrontare gli angoli delle strade. Gli apparecchi erano stati approntati nelle officine delle Strade Ferrate Romane. Il trasporto durò cinque giorni perché, a causa del caldo, si poté lavorare soltanto dalle quattro alle undici del mattino. Era l'ultimo atto di una operazione causata da fondate preoccupazioni conservative: forse il primo caso di rimozione

that were erected in various parts of Italy around the turn of the century, represents a celebrated episode from Michelangelo's adolescence, recounted in Vasari and Condivi's Lives *and depicted in a fresco by Ottavio Vannini in the Sala di Giovanni da San Giovanni in Palazzo Pitti: the young artist, in the garden of San Marco, is carving the head of a faun in imitation of an ancient marble statue and attracts the attention of Lorenzo the Magnificent. The mask of a faun that appears in Zocchi's sculpture reproduces the one that used to be in the Galleria degli Uffizi and was thought at the time to be Michelangelo's earliest work. The mask, which Baldinucci had mentioned in the collections of the Uffizi and described as the work of Michelangelo, was definitively removed from the artist's catalogue by the studies of Hermann Grimm (1860). Transferred to the Museo del Bargello, it vanished during the Second World War. The best-known representation of this subject is the one made by Cesare Zocchi's cousin Emilio, who produced numerous replicas of it from the early 1860s onward. One of these, in marble, is in the Galleria Palatina of Palazzo Pitti.*

Bibliography: *Carlo Sisi, in* Michelangelo nell'Ottocento-Il centenario del 1875, *catalogue of the exhibition in Casa Buonarroti, edited by Stefano Corsi, Milan 1994, pp. 70-72, no. 61.*

Model of the wagon used to transport the* David *from piazza della Signoria to the Accademia
1873
wood, 47 × 34.5 × 34.7 cm
inv. 698

The removal of the statue of David *from Piazza della Signoria to the Accademia di Belle Arti took place between July 31 and August 4 in 1873, using a wagon designed by the engineers Porra and Poggi. Casa Buonarroti possesses an accurate and original model of this vehicle. The statue was placed in the wagon in an upright position, with the lower part enclosed by a wooden crate fixed to the base, the knee and the upper part of the legs. The system of suspension used to avoid shocks contained strong steel springs. The wagon moved on tracks and had a special rotating bed to allow it to negotiate street corners. The equipment was made in the workshops of the Ro-*

di un'opera d'arte dall'esterno per motivi di questo genere.
(Vale la pena di ricordare che la "imperfectione del marmo" era stata notata fin dall'inizio, nel dicembre del 1504, quando cioè si doveva decidere la collocazione della statua terminata da poco, tanto che si prospettò la possibilità di ricoverarla sotto la Loggia dei Lanzi in piazza della Signoria. Ma il *David* trovò la sua prima sistemazione davanti a Palazzo Vecchio, dove nei secoli subì alcuni oltraggi, essendo stato preda tanto del fulmine quanto delle violenze di strada, anche politiche).
L'impresa di trovare al colossale capolavoro una degna sistemazione che lo sottraesse alle intemperie era resa ardua anche dal fatto che l'opera appariva da sempre parametro di bellezza e simbolo eccelso della città. Già nel 1846 il marchese Nerli, direttore del Genio Civile in Toscana, aveva proposto di porlo al riparo, sostituendogli un "getto in bronzo, da commettersi al regio fonditore Clemente Papi". Il progetto, giudicato allora troppo costoso, fu ripreso cinque anni dopo dal successore del Nerli, Alessandro Manetti, che riscontrò nella statua "sensibili degradazioni da incutere serio timore sulla sua sicurezza, in specie se avvenisse una qualche scossa, anco leggera, di terremoto". Si tornò alla proposta antica della Loggia dei Lanzi, che non ebbe seguito per le dimensioni dell'opera; di nuovo il progetto parve arenarsi, e per più di dieci anni il *David* rimase dov'era, con una copertura a ripararlo dalle intemperie. Nel frattempo Clemente Papi aveva eseguito la prevista fusione in bronzo, che nel 1875 sarebbe stata sistemata su un monumentale basamento al centro del piazzale Michelangelo. Infine, nel 1866 fu costituita una commissione che propose svariati ricoveri, tra cui il "grande salone" dell'appena costituito Museo del Bargello e due diverse sistemazioni all'interno del complesso di San Lorenzo; vinsero la partita i grandi spazi esistenti all'interno dell'Accademia di Belle Arti, dove, nel 1875, il *David* fu al centro della mostra più importante delle celebrazioni michelangiolesche, per trovare poi la sua destinazione definitiva nel 1882, nella Tribuna ivi allestita nel frattempo da Emilio De Fabris.

Bibliografia: Aurelio Gotti, *Vita di Michelangelo Buonarroti narrata con l'aiuto di nuovi documenti*, II, Firenze 1875, pp. 35-51; Giorgio Vasari, *La vita di Michelangelo nelle*

man Railroads. The move took five days as the heat meant that it was only possible to work from four to eleven in the morning. It was the last act in an operation prompted by well-founded worries about the conservation of the work: perhaps the first case of the removal of a work of art from an outdoor location for reasons of this kind. (It is worth recalling that the "imperfection of the marble" had been noticed right from the outset, in December 1504, that is at the time when the decision had to be taken over the location of the recently finished statue. In fact the possibility of placing it under the shelter of the Loggia dei Lanzi in Piazza della Signoria was considered. But the David *was set up in front of Palazzo Vecchio, where it suffered damage on several occasions, struck by lightning and made the target of street violence, sometimes with political motivations).*
The task of finding a suitable location for the colossal masterpiece where it would be protected from the weather was made more difficult by the fact that the work had always been seen as a paragon of beauty and sublime symbol of the city. As early as 1846, Marchese Nerli, head of the corps of civil engineers in Tuscany, had proposed moving the work and replacing it with a "cast in bronze, to be commissioned from the royal founder Clemente Papi." The plan, considered too expensive at the time, was taken up again five years later by Nerli's successor, Alessandro Manetti, who detected in the statue "noticeable signs of degradation such as to arouse serious concern over its safety, especially if any earthquake shock should occur, even a slight one." The old proposal of the Loggia dei Lanzi was revived, but rejected on the grounds of the statue's size. Once again the project seems to have come to a standstill and for over ten years the David *remained where it was, with a roof to protect it from the vagaries of the weather. In the meantime Clemente Papi had made the bronze cast, and this was to be erected on a monumental base in the middle of Piazzale Michelangelo in 1875. Finally, a commission was set up in 1866 and proposed a variety of homes for the work, including the "grand salon" of the recently constituted Museo del Bargello and two different locations inside the complex of San Lorenzo. Eventually, the choice fell on the large spaces inside the Accademia di Belle Arti where, in 1875, the* David *was to form the centerpiece of the most important exhibition staged to celebrate Michelangelo's centenary. It found its definitive home in*

redazioni del 1550 e del 1568, a cura di Paola Barocchi, II, Milano-Napoli 1962, pp. 204-208; Stefano Corsi, in *Michelangelo nell'Ottocento -Il centenario del 1875*, catalogo della mostra in Casa Buonarroti, Milano 1994, p. 36, n. 10.

1882, in the Tribuna that Emilio De Fabris had built for the purpose in the meantime.

Bibliography: *Aurelio Gotti,* Vita di Michelangelo Buonarroti narrata con l'aiuto di nuovi documenti*, vol. II, Florence 1875, pp. 35-51; Giorgio Vasari,* La vita di Michelangelo nelle redazioni del 1550 e del 1568*, edited by Paola Barocchi, vol. II, Milan-Naples 1962, pp. 204-208; Stefano Corsi, in* Michelangelo nell'Ottocento-Il centenario del 1875*, catalogue of the exhibition in Casa Buonarroti, Milan 1994, p. 36, no. 10.*

Cortile

Il cortile della Casa Buonarroti ha subito nel corso del tempo molteplici modifiche, che non hanno però alterato il suo originario aspetto secentesco, ingentilito dalle grandi mensole che sostengono parte del primo piano.
Sulla parete di fondo, Michelangelo Buonarroti il Giovane fece dipingere nel 1625 da Jacopo Vignali un paesaggio, ora perduto, ai due lati del quale furono collocate due grandi statue romane, ora ricoverate per motivi di conservazione nella Sala archeologica. In lavori di riattamento andò perduta, tra il 1820 e il 1823, anche la bella scala secentesca, con la loggetta che permetteva di accedere al piano nobile e che resta documentata in due stampe di primo Ottocento.
Per evocare il suo originario carattere di *antiquarium*, sono state collocate nel cortile alcune testimonianze archeologiche.

Over the course of time the courtyard of Casa Buonarroti has undergone many modifications, yet these have not altered its original seventeenth-century appearance, rendered more attractive by the large corbels that support part of the second floor.
In 1625, Michelangelo Buonarroti the Younger had Jacopo Vignali paint a landscape on the back wall, now lost. Alongside it were set two large Roman statues, which have now been moved to the Sala Archeologica for reasons of conservation. Renovation work carried out between 1820 and 1823 resulted in the loss of the fine seventeenth-century staircase as well, with the balcony that provided access to the piano nobile and which is documented in two prints dating from the early nineteenth century.
A number of archeological finds have been placed in the courtyard to evoke its original character as an antiquarium.

Togato
II secolo d.C.
marmo, altezza 201 cm
inv. 7

L'opera fu acquistata dal cardinale Leopoldo dei Medici nel 1673, insieme ad altre antichità di scavo, a Roma, e ivi restaurata da Ercole Ferrata. Era mutila della parte inferiore, frammentata, e con la testa staccata dal corpo. Trasportata a Firenze, fu affidata a Giovan Battista Foggini e ai suoi assistenti, che aggiunsero al torso la parte inferiore e le gambe, coperte fino al ginocchio da un paio di curiose brache. Il pezzo fu poi sistemato nel terzo Corridoio della Galleria degli Uffizi, dove rimase fino al 1835. L'incerta iconografia fece identificare in questa statua volta a volta un gladiatore, un pastore, un re romano, un console giovane eccetera; secondo Gabriella Capecchi, fu proprio questa non risolta fisionomia a provocare l'espulsione del *Togato* dagli Uffizi, con conseguente passaggio allo Scrittoio delle Reali Fabbriche.
L'opera riemerge nel 1875, citata come statua romana, nell'edizione in francese del catalogo della Casa Buonarroti. È verosimile che il pezzo fosse giunto in questo museo, insieme ad altri, proprio in quegli anni, per ornare una delle sedi canoniche delle celebrazioni michelangiolesche. L'opera fu collocata nel cortile, e qui è tornata nel 1990.
Per la parte antica del *Togato*, che era probabilmente un'erma, una datazione al II secolo d.C. appare oggi più che ragionevole; ma anche da

Man wearing a Toga
2nd century aD
marble, height 201 cm
inv. 7

The work was acquired by Cardinal Leopoldo dei Medici in 1673, together with a number of other antiquities excavated in Rome and restored there by Ercole Ferrata. The statue was fragmented, with the lower part missing and the head detached from the body. Transported to Florence, it was entrusted to Giovan Battista Foggini and his assistants, who added to the torso the lower part and the legs, covered down to the knee by a curious pair of breeches. The piece was then set up in the third corridor of the Galleria degli Uffizi, where it remained until 1835. Uncertainties over the iconography have meant that the statue has been identified as a gladiator, shepherd, Roman king and youthful consul, among other things. According to Gabriella Capecchi, it was this inability to identify the subject that led to the expulsion of the Man wearing a Toga *from the Uffizi and its transfer to the Scrittoio of the Reali Fabbriche.*
The work resurfaced in 1875, when it was cited as a Roman statue in the French edition of the catalogue of Casa Buonarroti. It is likely that the piece was brought to this museum, along with others, in just those years, to adorn one of the principal centers for the cel-

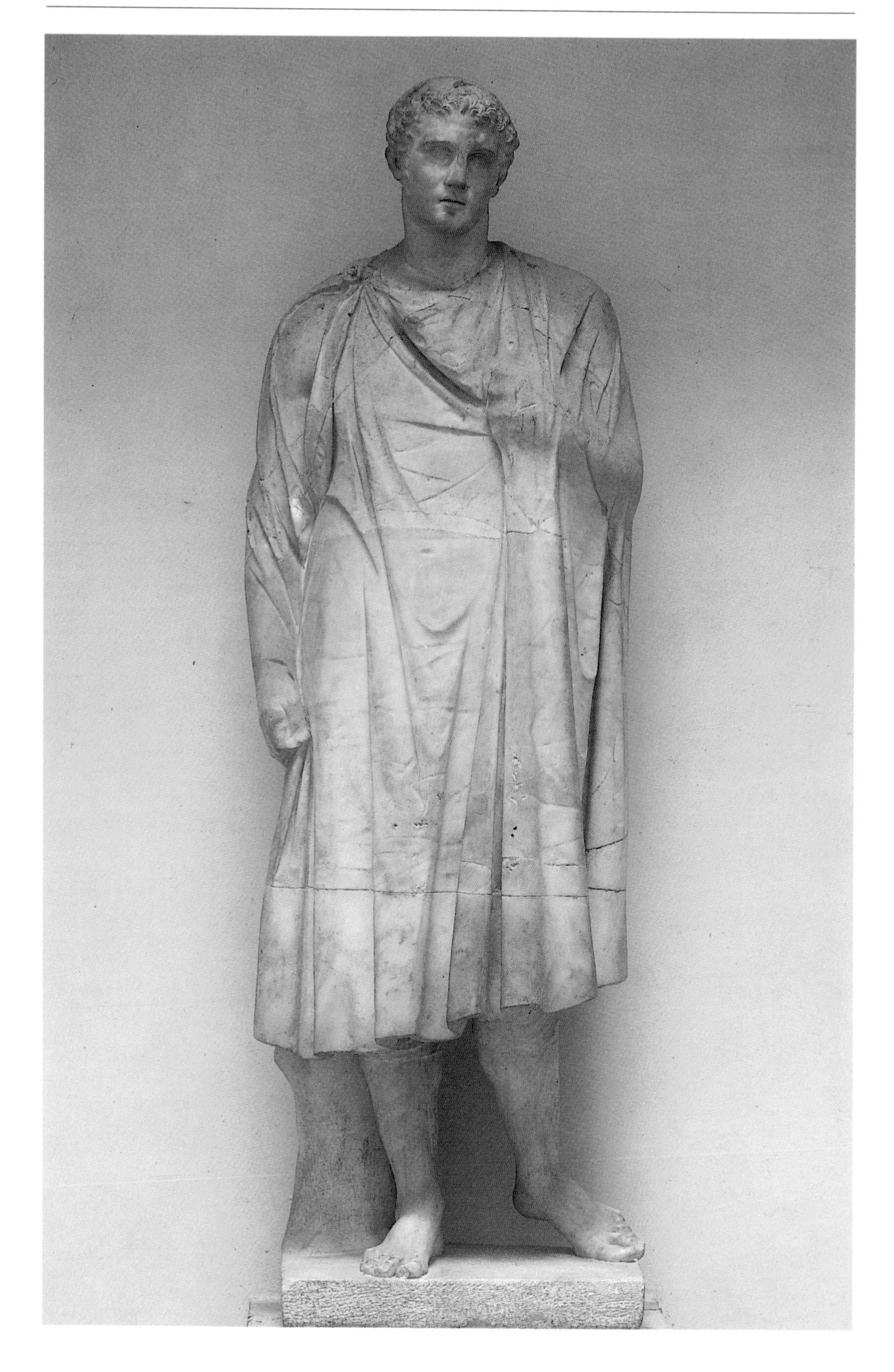

questo punto di vista l'opera ha attraversato alcune vicissitudini: a partire dal 1965, ha resistito infatti per alcuni anni l'attribuzione della statua, o per lo meno del suo torso, ad Arnolfo di Cambio; la proposta (avanzata dal Salmi, e sostenuta tra gli altri dal Procacci, dalla Romanini e dal Tolnay) partiva dalla sua identificazione con un pezzo dell'antica facciata incompiuta del Duomo di Firenze, smantellata nel 1587.

Bibliografia: Gabriella Capecchi, *Non di Arnolfo, ma antichi. Due precisazioni su un falso Profeta e su un Dace prigioniero*, in "Artista", 1992, pp. 24-28; Stefano Corsi, in *Casa Buonarroti. La collezione archeologica*, a cura di Stefano Corsi, Milano 1997, pp. 30-31, n. 4.

Il cortile della Casa Buonarroti in una stampa di metà Ottocento.

ebration of Michelangelo's centenary. The statue was placed in the courtyard, and this is where it returned in 1990.
For the antique part of the Man wearing a Toga, *which was probably a herm, a date around the 2nd century aD now appears more than reasonable. But even from this point of view the work has gone through some ups and downs: in 1965 the statue, or at least its torso, was attributed to Arnolfo di Cambio, and this idea persisted for several years. The proposal (put forward by Salmi and supported by Procacci, Romanini and Tolnay, among others) was based on its identification with a piece of the old and incomplete facade of Florence Cathedral, dismantled in 1587.*

Bibliography*: Gabriella Capecchi,* Non di Arnolfo, ma antichi. Due precisazioni su un falso Profeta e su un Dace prigioniero, *in* Artista, *1992, pp. 24-28; Stefano Corsi, in* Casa Buonarroti. La collezione archeologica, *edited by Stefano Corsi, Milan 1997, pp. 30-31, no. 4.*

Spazio espositivo

La sequenza di sale sulla sinistra dell'atrio della Casa Buonarroti è utilizzata, a partire dal 1984, per mostre temporanee. Fino al 1990, lo spazio espositivo era costituito da tre ambienti, ai quali si aggiunse in quell'anno una quarta sala, recuperata restaurando parte della zona più antica della Casa, sfuggita a ogni precedente restauro e risalente ai tempi di Michelangelo. Le prime tre sale furono sicuramente interessate agli interventi ai quali, nella prima metà del XVII secolo, sottopose il palazzo Michelangelo il Giovane: ne resta testimonianza nella nobiltà degli spazi e soprattutto nel bell'affresco di Jacopo Vignali – sul soffitto della prima stanza – raffigurante il *Sogno di Giacobbe*.

Le mostre si svolgono a scadenza annuale, su argomenti riguardanti Michelangelo e il patrimonio culturale, artistico e di memorie della Casa Buonarroti. Il tema è strettamente correlato con i fini istituzionali e con i programmi di ricerca scientifica della Casa, ed è assai vasto. Ha permesso infatti di affrontare, tra l'altro, alcune problematiche direttamente michelangiolesche (la giovinezza dell'artista nel giardino di San Marco, o il suo impegno architettonico per San Lorenzo e per San Pietro); il mito di Michelangelo nell'Ottocento (dal centenario del 1875 al suggestivo confronto con l'arte di Auguste Rodin); il collezionismo familiare, attraverso mostre che prendono avvio dai pezzi più prestigiosi della Casa (la scoperta della "pittura di luce" derivante dalla predella di Giovanni di Francesco; il dramma umano e artistico di Artemisia Gentileschi, prendendo l'avvio dalla sua tela nella "Galleria").

Since 1984 the series of rooms on the left-hand side of the entrance hall of Casa Buonarroti has been used for temporary exhibitions. Up until 1990, the exhibition space consisted of three rooms, to which a fourth was added in that year, through the restoration of part of the oldest section of the house, which had evaded all previous restorations and dated back to the time of Michelangelo. The first three rooms were undoubtedly affected by the alterations to which Michelangelo the Younger subjected the building in the first half of the seventeenth century: evidence for this is provided by the noble appearance of the spaces and above all the fine fresco by Jacopo Vignali – on the ceiling of the first room – depicting Jacob's Dream.

Exhibitions are staged on an annual basis and cover subjects related to Michelangelo and the cultural, artistic and historical heritage of Casa Buonarroti. The theme is closely bound up with the aims of the institution and with the programs of scientific research that it carries out, and is an extremely wide-ranging one. It has permitted, among other things, investigation of a number of topics directly related to Michelangelo (the artist's youthful activities in the garden of San Marco, or his architectural work on San Lorenzo and St. Peter's); the myth of Michelangelo in the nineteenth century (from the centenary of 1875 to the suggestive comparison with the work of Auguste Rodin); the collecting activity of the family, through exhibitions built around the most prestigious pieces in the Casa Buonarroti (the discovery of the "painting of light" deriving from Giovanni di Francesco's predella and the human and artistic drama of Artemisia Gentileschi, based on her canvas in the "Galleria").

Alla pagina accanto
"Michelangelo architetto", 1988.
Allestimento Dante Donegani.

"Rodin e Michelangelo", 1996. Allestimento Dante Donegani e Giovanni Lauda.

"Rodin e Michelangelo", 1996. Allestimento Dante Donegani e Giovanni Lauda.

"Il giardino di San Marco. Maestri e compagni del giovane Michelangelo", 1992. Allestimento Dante Donegani e Giovanni Lauda.

"Artemisia", 1991. Allestimento Dante Donegani e Giovanni Lauda.

Bibliografia di orientamento

Angiolo Fabbrichesi, *Guida della Galleria Buonarroti*, Firenze 1865.
Luciano Berti, *Itinerario della Casa Buonarroti e delle sue collezioni*, Firenze 1951.
Paola Barocchi, *Michelangelo e la sua scuola. I disegni di Casa Buonarroti e degli Uffizi*, Firenze 1962.
Paola Barocchi, *Michelangelo e la sua scuola. I disegni dell'Archivio Buonarroti*, Firenze 1964.
Ugo Procacci, *La Casa Buonarroti a Firenze*, Milano 1965.
Charles de Tolnay, *Casa Buonarroti*, Firenze 1970.
Isabella Bigazzi, *La stanza della Galleria Buonarroti dedicata da Michelangelo il Giovane alla fama dei toscani illustri*, in "Commentari", XXV, 1974, pp. 164-209.
Adriaan W. Vliegenthart, *La Galleria Buonarroti, Michelangelo e Michelangelo il Giovane*, Firenze 1976, edizione originale Rotterdam 1969.
Paola Squellati Brizio, *Casa Buonarroti*, in *La Città degli Uffizi*, catalogo della mostra, Firenze 1982, pp. 177-192.
Disegni di fortificazioni da Leonardo a Michelangelo, catalogo della mostra in Casa Buonarroti, a cura di Pietro Marani, Firenze 1984.
Michelangelo e i maestri del Quattrocento, catalogo della mostra in Casa Buonarroti, a cura di Carlo Sisi, Firenze 1985.
Luciano Berti, *Michelangelo. I disegni di Casa Buonarroti*, Firenze 1985.
Filippo Buonarroti e la cultura antiquaria sotto gli ultimi Medici, catalogo della mostra in Casa Buonarroti, a cura di Daniela Gallo, Firenze 1986.
Casa Buonarroti, a cura di Giovanna Ragionieri, Firenze 1987.
Michelangelo. Studi di antichità dal Codice Coner, a cura di Giovanni Agosti e Vincenzo Farinella, Torino 1987.
Michelangelo e l'arte classica, catalogo della mostra in Casa Buonarroti, a cura di Giovanni Agosti e Vincenzo Farinella, Firenze 1987.
Michelangelo architetto. La facciata di San Lorenzo e la cupola di San Pietro, catalogo della mostra in Casa Buonarroti, a cura di Henry Millon e Craig Hugh Smyth, Milano 1988.
Le due Cleopatre e le "teste divine" di Michelangelo, catalogo della mostra in Casa Buonarroti, Firenze 1989.
Costanza ed evoluzione nella scrittura di Michelangelo, catalogo della mostra in Casa Buonarroti, a cura di Lucilla Bardeschi Ciulich, Firenze 1989.
Pittura di luce. Giovanni di Francesco e l'arte fiorentina di metà Quattrocento, catalogo della mostra in Casa Buonarroti, a cura di Luciano Bellosi, Milano 1990.
Artemisia, catalogo della mostra in Casa Buonarroti, a cura di Roberto Contini e Gianni Papi, Roma 1991.
Il giardino di San Marco. Maestri e compagni del giovane Michelangelo, catalogo della mostra in Casa Buonarroti, a cura di Paola Barocchi, Milano 1992.
Casa Buonarroti. I disegni di Michelangelo, a cura della Direzione della Casa Buonarroti, Milano-Firenze 1993.
Casa Buonarroti. Il Museo, a cura della Direzione della Casa Buonarroti, Milano-Firenze 1993.
Michelangelo nell'Ottocento. Il centenario del 1875, catalogo della mostra in Casa Buonarroti, a cura di Stefano Corsi, Milano 1994.
Michelangelo. An Invitation to Casa Buonarroti, catalogo della mostra all'Accademia Italiana di Londra, a cura di Pina Ragionieri, Milano 1994.
Casa Buonarroti. Arte e storia in biblioteca, catalogo della mostra in Casa Buonarroti, a cura di Stefano Corsi e Elena Lombardi, Milano 1995.
Michel-Ange. Invitation à la Casa Buonarroti, catalogo della mostra al Musée Toulouse-Lautrec di Albi, a cura di Pina Ragionieri, Firenze 1995.
Michelangelo nell'Ottocento. Rodin e Michelangelo, catalogo della mostra in Casa Buonarroti, a cura di Maria Mimita Lamberti e Christopher Riopelle, Milano 1996.
Invito in Casa Buonarroti. Michelangelo e il suo mito, catalogo della mostra a Tokyo e a Kyoto, Tokyo 1996.
Rodin and Michelangelo. A Study in Artistic Inspiration, catalogo della mostra al Philadelphia Museum of Art, a cura di Flavio Fergonzi, Maria Mimita Lamberti, Pina Ragionieri, Christopher Riopelle, Milano 1997.
Casa Buonarroti. La collezione archeologica, a cura di Stefano Corsi, Milano 1997.
Michelangelo entre Florença e Roma. Convite à Casa Buonarroti, catalogo della mostra al MASP (Museu de Arte di São Paulo), Brasile, a cura di Pina Ragionieri, Firenze 1997.
Anna Barsanti, *Alla scoperta di Cecco Bravo*, in *Cecco Bravo pittore senza regola*, catalogo della mostra in Casa Buonarroti, Milano 1999, pp. 15-36.

Questo volume è stato stampato dalla Elemond spa
presso lo stabilimento di Martellago (Venezia)
nell'anno 1999